新版 NewVersion

項羽と劉邦

CLASSICS&ACADEMIA

Yoshiro NAGAYO
著 長与 善郎

Rigyu Matsumoto
現代語訳 松本 犂牛

目次　項羽と劉邦

項羽と劉邦

長与善郎／松本犛牛

虞姫肖像
河野通勢描之

場所

中国

時代

秦《しん》の始皇帝の死後より漢の高祖の即位の前まで
すなわち西暦紀元前二一〇年頃より同二百年頃まで、約十年の間とする

楚の人物

項羽《こうう》　天下無双の武人。秦《しん》を亡ぼし大楚王《だいそおう》と称する

項梁《こうりょう》　項羽《こうう》の叔父

殷通《いんつう》　会稽《かいけい》の太守

殷桃娘《いんとうにゃん》　その娘――のちに韓信《かんしん》の妻

虞姫《ぐき》（虞美人《ぐびじん》）　項羽《こうう》の妃《きさき》

養父（虞一公《ぐいっこう》）　虞姫《ぐき》の養父

鐘離昧《しょうりまい》
季布《きふ》
桓楚《かんそ》　｝項羽《こうう》の武将
英布《えいふ》

英布　俗称黥布《げいふ》（黥刑を受けていたため）

范増《はんぞう》　項羽《こうう》の老軍師

楚《そ》の懐王

漢の人物

劉邦《りゅうほう》　のちに漢王となり、ついに漢の高祖《こうそ》となる

呂妃《りょひ》　劉邦の妃《きさき》。呂文《りょぶん》の娘。のちの呂后《りょごう》

張良《ちょうりょう》　劉邦《りゅうほう》の軍師

蕭何《しょうか》
樊噲《はんかい》
曹参《そうしん》
夏侯嬰《かこうえい》
　劉邦《りゅうほう》の武将

韓信《かんしん》　はじめ項羽の臣。後に漢軍の大将軍

李左車《りさしゃ》　匈奴《きょうど》出身の武人

その他多勢

楚

先《さき》んずれば人を制す

人よりも先に動けば、有利になり、人を制することができる。秦末の混乱のなかで、会稽《かいけい》の太守である殷通《いんつう》が、項羽《こうう》の叔父、項梁《こうりょう》に話した言葉（「項羽本紀」）。打倒秦の狼煙《のろし》があがるなか、項梁《こうりょう》と項羽《こうう》は覚悟を決める。

漢

項羽と劉邦

序幕

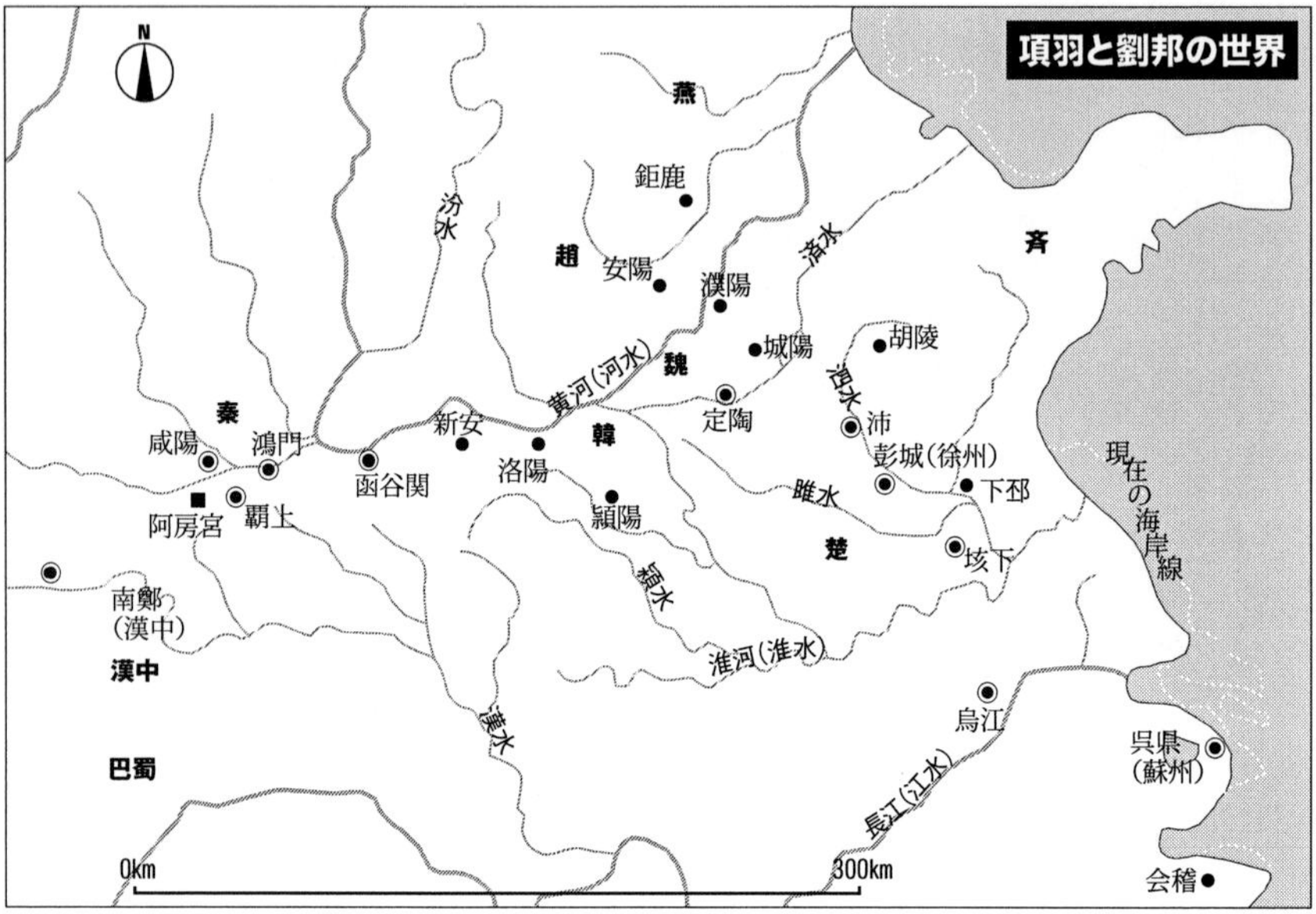

『項羽と劉邦の時代』(藤田勝久/講談社)、『最新国語便覧』(浜島書店)を参考に訳者作成

会稽《かいけい》太守、殷通《いんつう》の館

殷通《いんつう》、およびその部下の将軍鐘離昧《しょうりまい》、地図を広げたテーブルを挟んで何やら話し合っている。

鐘離昧《しょうりまい》　どんなことでも、やりそこねて中途半端なところで終わってしまえば盗賊といわれるものですが、やりとげてしまえば豪傑という呼び名に変わるのですからね。実際のところ、誰だってあの始《し》皇帝《こうてい》が根っこは成りあがり者で、天下の騒乱に紛《まぎ》れてうまく主人の空き巣を占領した、体《てい》のいい大泥棒だということはわかっているのです。その癖、あとになってそいつらはこういうのです。「何といっても、あれだけのことをしでかすなんて、やはり豪傑でなくちゃできないことさ。皆から悪くいわれるというのは、どこか非凡で豪《えら》いところのある証拠なんだ」と。

殷通《いんつう》　だがそれでいながら、やはりメッキは剥《は》げてくるから不思議なものさ。もっとも、あれでもう少し慎《つつし》むということさえ知っていたら、秦《しん》もあんなに脆《もろ》い崩れ方はしなかっただろうよ。しかしその慎《つつし》みを自分の威勢にまかせてつい忘れがちになるというのが、権力の誘惑というものなのだな。

鐘離昧《しょうりまい》　そうです。誰でも王になろうと野心に燃えている間は、とても用心深く、天命を恐れて慎むことも知っているものです。けれども、もともとその慎みが借りものの手段にすぎないわけです。ですから、その野心が充たされてしまうと、これからが大事だというところで、「なあに、俺さまだったら、このくらいのことをやったって構わないさ」と慢心してしまうのでしょうね。しかもその「このくらいのこと」というのが、はじめはまだ大したことでもなかったのが、次第に気が大きくなって途方もなくなるものですから。しまいには、まるで昔とは別人のように気が荒《すさ》んでしまって、天の掟《おきて》も「気にするものか」と平気で踏みにじったり、滅茶苦茶なことをしでかすものです。だからたちまち民の信頼を失って、気がついた時には、もう瓦解が始まっているというざまなのですね。

殷通《いんつう》　そうだ。そこへ行くと夏《か》の禹王《うおう》や、殷《いん》の湯王《とうおう》などという人たちはさすがに名君と呼ばれるだけあって利巧《りこう》だったな。勝てば勝つほど兜《かぶと》の緒を締めるのだから、運命も油断を狙うということが……。（地図を見ながら）ははあ、これがその沼だな。不思議な気《き》が昇《のぼ》ったとかいう。

鐘離昧《しょうりまい》　そうです。天子の気《き》が立ち昇《のぼ》ったとかいいますね。どんな気《き》が立ち昇《のぼ》ったのでしょうかね。そんな噂《うわさ》が立つと、なにか企《たくら》んでいる自惚《うぬぼ》れの強いやつが、すぐにかんちがいして、「それは俺のことだ。間違いない」と世迷いごとを言いだすから面白いですよ。

殷通《いんつう》　ふん。しかしそんなことがあると、皆に活気がつくというういいところもあるさ。（また地図を見て）それから例の隕石《いんせき》が落ちた、とかいっているのはどこだ?

鐘離昧《しょうりまい》　ここです。東郡です。「始皇帝死して、地分かれる」とか、それに書いてあったといいますね。きっと誰かが悪戯《いたずら》でそんな石を投げて、天から降ったようにいいふらしたのでしょう。しかしそんなことでも、始皇帝《しこうてい》はひどくそれを気に病んで、その近辺十里四方の住民をことごとく斬り殺して、その石を焼き捨てたとかいうことです。かわいそうに、何だかんだといっては災難に遭わされるのは民衆です。

殷通《いんつう》 ほんとうに天下は滅茶苦茶だ。

鐘離昧《しょうりまい》 これからは、もっと血生臭《ちなまぐさ》くなるでしょう。今までは、いってみれば長雨でいっせいに虫が湧いてきたようなものですが、これからはいろいろな虫が、生き残りと覇権をかけて、食い合いを始めるのですから。まあこれから当分は、天下に血の雨が絶えませんね。

殷通《いんつう》 恐ろしいことだ。だが食い殺されないためには、こちらが先に起《た》たなければならない。どうもいくつか秦《しん》の恩を受けたことがあるだけに、兵を挙げる理由をつけにくいが、そんなことをいってもいられない。

鐘離昧《しょうりまい》 こんな時に理由もへちまもあるものですか。理由があって戦うほうは、いつも敗けると昔から決まっているものです。どちらかといえば、理由なしで起《た》つことに感謝してもいいくらいです。とはいえ、私たちが起《た》たなければ、民衆はもっと秦《しん》の暴政に苦しむのですから、こんな明白な理由があれば他の理由なんぞいるものですか。

二人なお地図を調べる。殷通《いんつう》の娘、殷桃娘《いんとうにゃん》入ってくる。

殷桃娘《いんとうにゃん》 お父さま。

殷通《いんつう》 （ちょっと振り向く）何だ？（また地図の方を見る）

殷桃娘《いんとうにゃん》 （肩に手をかけ）お忙しいの？

殷通《いんつう》　(微笑みながら殷桃娘《いんとうにゃん》の頭髪をなで) また邪魔をしにきたね、お前は。困ったやつだ。

殷桃娘《いんとうにゃん》　そんなことありませんわ。私、少しばかりお父さまにお願いがあってきましたの。

鐘離昧《しょうりまい》　お嬢さま。ますます綺麗《きれい》におなりですね。

殷桃娘《いんとうにゃん》　そんなことをおっしゃると、あなたの馬の手綱《たづな》をほどいて逃がしてしまいますよ。鐘離昧《しょうりまい》さま。

鐘離昧《しょうりまい》　はは。大丈夫です。お嬢さま。私の馬は、私がやれといったこと以外やりませんから。

殷通《いんつう》　(笑って) またお願いか。お前のお願いなら、大抵決まっている。

殷桃娘《いんとうにゃん》　(ふざけているように見せて、どことなく真剣に) それならそれをきいて下さる?

殷通《いんつう》　きいてやるとも。だが、それはまあ後にしてもらおう。今はまだ忙しいからな。しばらく向こうへ行っておいで。

殷桃娘《いんとうにゃん》　お父さまは、一体いつまで、私を子供扱いなさるおつもりなんでしょう。

殷通《いんつう》　(娘の顔に見入りながら) そうだな、お前がちょうどお前くらいの娘を持つ頃にでもなったらな。

鐘離昧《しょうりまい》　ははは。お父さまは、あなたがあまり可愛いもので、つい子供扱いをなさりたいんですよ。無理もありません。他人の私だって、あなたのような方を見ると、つい昔に若返って一緒にふざけたくなりますからね。(殷桃娘《いんとうにゃん》の手を取り) まあ、そんなに早く大人ぶらずに、可愛いお嬢さまでいておあげなさい。それが孝行というものですよ。もう二、三年くらいたって、あなたが眩《まぶ》しいような花嫁におなりになる頃には、そんな真似はしたくてもおできになれないでしょうからね。

殷桃娘《いんとうにゃん》　鐘離昧《しょうりまい》さま。私、今、本当に真面目なお願いがあってきたのですから、どうかそんな冗談をいってかき回さないでください。

殷通《いんつう》　それなら、早くいってしまえばいいじゃないか。一体、何だ？
殷桃娘《いんとうにゃん》　（もじもじして）あのお父さまは……、今日……あの項羽っていう人にお会いになりますの？
殷通《いんつう》　会うよ。それがどうした。
殷桃娘《いんとうにゃん》　それが……。何だか私、こうしてお父さまの前へ出て、鐘離昧《しょうりまい》さまともお会いして、また気持ちも変わって落ち着いてきましたけれど……。私の心配していたことが、もう何だか私の気のせいだけなので、いうのが馬鹿らしいような気がしてきましたけれど……。
鐘離昧《しょうりまい》　いや、わかりました。大方《おおかた》、あの熊のような項羽が「あなたに会いたい」とでもいいはしないかとかいうのでしょう？
殷桃娘《いんとうにゃん》　まあ、そんなことじゃありませんわ。ああ、でも私、やはりいわないと気がすまないわ。あのお父さま。どうかお怒りにならないで……私、本当に心配でなりませんの。
殷通《いんつう》　何がそんなに心配なのだ。項羽がどうしたというんだ。
殷桃娘《いんとうにゃん》　お父さま。どうかあんな人とお会いになるのを、お止《よ》しになることはできませんの？
殷通《いんつう》　（地図を見ながら頷《うなず》く）うん？　……ああ、うん。そう。そう。
殷桃娘《いんとうにゃん》　（吹き出して）まあ、人のいうことを聞いてもいらっしゃらないのに、一人で「ああ、うん、そう、そう」ですって。私、いやになってしまうわ。
殷通《いんつう》　いや、聞いているよ。
殷桃娘《いんとうにゃん》　お父さま、冗談ではなくってよ。本気で聞いて下さらなくっては。私昨夜、あの……、それは恐ろしくて、いやな夢を見たんですの。

殷通《いんつう》　何だ。項羽が俺の首を取る夢でも見たというのか。

殷桃娘《いんとうにゃん》　（その言葉にドキッとしてうなだれる）いいえ。槍《やり》で……。

鐘離昧《しょうりまい》　天井から槍《やり》が、お父さまの頭の上に落ちてきましたか？（わざとらしく笑う）

殷桃娘《いんとうにゃん》　ええと、お父さまがあるお城の城主になっておいでで、そこに兄弟二人の賊《ぞく》が、お父さまと何か相談をしたいといってきましたの。それで、その兄とお父さまが会って話をしているとき、何か合図をしましたの。するとその弟が、いきなりこの幕の後ろからお父さまを槍《やり》で突き殺して……そのお城を奪い取ってしまいましたの。そしてその兄が、そこの城主になってしまったのです。

殷通《いんつう》　（つい顔色をかえる）ふん、ずいぶんと馬鹿な夢を見たものだ。

鐘離昧《しょうりまい》　お嬢さまがそんな殺伐《さつばつ》とした夢をご覧になるとは意外ですね。

殷通《いんつう》　まあ項羽と項梁《こうりょう》は兄弟ではないからな。項羽は項梁《こうりょう》の甥《おい》だし、それにそんな卑怯な騙《だま》し討ちなどをするようなやつではない。疑《うたぐ》り深いというやつもいるが、どちらかといえば、少し正直過ぎるくらいの男だよ。

鐘離昧《しょうりまい》　（軽くあしらうように）何もお嬢さまの夢を真面目にお取りになることもないでしょう。それにお嬢さま、お父さまの傍《そば》には第一、この私が付いているではございませんか。あの忠義者で強者の季布《きふ》だって、ああしてお側《そば》にひかえていることですし。

殷桃娘《いんとうにゃん》　それはそうですけれど、いくら強いあなたがたが傍《かたわら》にいらしても、不意討ちされてしまいましたら間に合いませんわ。

鐘離昧《しょうりまい》　（笑って）大丈夫ですよ、剣は徳にはかなわないものです。会稽《かいけい》の太守殷通《いんつう》といったら、この近くでは知らない者はないくらいで、皆から尊敬されていらっしゃるのですよ。ですから、何の理由もなくそんな不埒《ふらち》を働いたら、それこそ自分で自分の首を斬るようなものです。まわりがそんなやつを、生かしておかないでしょうからね。それにあの項梁《こうりょう》というやつは、なかなか利巧《りこう》な男ですから、そのへんのことはよく心得ていますよ。

殷通《いんつう》　それだけじゃない。あいつにとって、俺を今殺すのは損だからな。もしあいつらに大きな野心があるなら、俺を味方にしようと思わないはずはない。なにせあいつらは、兵を挙げようにも兵を持っていないのだから。何かやろうというには、まず近くの俺から力を借りるより外はない。しかも相手が、いくら落ちぶれたといっても、あの秦《しん》だからな。そんな相手に刃向《はむか》うには、一人でも多く手を組むことが必要なのだ。

鐘離昧《しょうりまい》　お嬢さまですから打ち明けますが、あいつら二人が何を考えているか、それをひとつ探って、やつらがつけ上がる前にこちらが向こうをうまく手懐《なつ》けて取り込んでやろうというのが、今日の会合の目的なんですよ。なあにちょっとでも怪しい様子が先方に見えたら、向こうが剣の柄《つか》に手をかける先に、こちらから向こうの首を引っ掻《か》いてやります。ご心配いりません。

殷桃娘《いんとうにゃん》　でも、あの項梁《こうりょう》というお方、とても狡《ずる》い人だということですから、とんでもないことをたくらんで、あの項羽に吹き込んでいるかも知れませんわ。なんでも項羽っていう人は、恐ろしく強い人だそうですが、その人のいいなりになっているというではありませんの？

殷通《いんつう》　あの項梁《こうりょう》は誰が見ても利巧《りこう》に見える男だ。一方で項羽のほうは馬鹿なやつらには馬鹿にされとる。むやみに力が強いばかりで、向こう見ずな猪武者《いのししむしゃ》に思われている。だが実は、あの単純で馬鹿

鐘離昧《しょうりまい》　正直に見える項羽のほうが、抜け目のない叔父よりもずっと上手《うわて》なのだ。あの項梁《こうりょう》は、今のところは項羽を手下に使って、一時的に羽振りもよくなっているかもしれんが、到底大したことのできるやつではない。今にきっとしくじる。だが父さんは、あの項羽にちゃんと目をつけている。それで今のうちに、あの若者をこちらの仲間に引き入れて、先々の片腕にしようと思っているのだ。

第一、兵を挙げようとするなら、いくら自分ひとり強くっても手ぶらではダメですよ。自分の手足となるいい手下と、自分に忠誠を誓ういくらかの軍勢が絶対必要です。ところがあの項梁《こうりょう》と項羽は、家柄はいいのですがかえってそれが災いとなっています。なにせ一族の者は、秦《しん》のために散り散りにされていますし、今じゃ長屋のような家に小さく隠れているような有様で、一兵卒すら持っていないのです。そんな状態で、おいそれと何ができるものですか。逆にこちらには、少なくとも七千からの兵がいるのですからね。それを盗むこともできず、それでもなんとかしたいのなら、こちらを頼ってきて、ずっと味方として奉公をしている間に、少しずつ手柄を立てて出世する外《ほか》ないのです。無理に早まったことをすれば、ただ自分の滅亡を招くだけのこと、そう易々《やすやす》とうまいことをされてなるものですか。

殷通《いんつう》　どうだ、桃娘《とうにゃん》。少しは安心したろう。

殷桃娘《いんとうにゃん》　ええ、少しは安心しましたわ。でもどうか用心をしていただきたいわ。私はやはり妙に胸騒《むなさわ》ぎがおさまらないもので。

鐘離昧《しょうりまい》　（笑って）そりゃあいつらは腹に一物ある連中ですから、無論用心をするに越したことはありません。私の部下で腕の立つ者を五、六人、そこの幕の裏に忍ばせておくことになっています。そしてお父さまがちょっと咳払《せきばら》いで合図をなさったら、すぐそれらの者が剣を抜いて飛び出すという手はずです。

殷桃娘《いんとうにゃん》 それよりか、むしろあなたさまもここにいらして、一緒にお会いになったほうがよくはありませんの？　どうかお願いですから、そうなさってくださいな。咄嗟《とっさ》の間にどんなことがないとも限りませんわ。もし万一のことがお父さまに降りかかってしまったら、その後で向こうを殺したって、もう追いつかないじゃありませんか。

鐘離昧《しょうりまい》 それはダメです。そんなことをしたら、はじめからあいつらに警戒させることになって、疑いを起こさせます。お父さま一人で、気軽にお会いになるのが一番いいのです。そんなことをお嬢さまのようにいちいち心配していた日には、誰にも会えなくなってしまいますよ。（笑う）特に大勢を引っぱって人の上に立とうとする者が、いちいち人に会うことを恐れていた日には、どうしようもありません。

殷通《いんつう》 そうだ。人を手に入れたいなら、まずこっちが向こうを信用していることを向こうに呑《の》みこませることが心要なのだ。こちらが先方を疑って、用心していることを相手に気取《けど》らせてしまうと、相手は袋の中の鼠《ねずみ》のように不安になって、もともとこちらに悪意の無かった者までが、なんとなく反抗の牙をむくようになる。危険はお互いさまだ。こちらが危険な時は相手もまた危険なのだ。自分一人が危険だと思ってしまうと、その後にもっと危険になってしまうのだよ。ね、わかっただろう？

鐘離昧《しょうりまい》　つまりこういうことです。油断はしていない。しかし鎧《よろい》のベルトは固く締めていながら、相手にはこちらの胸を開いて見せるというのです。これが大事です。私たちの経験では、明らかにこちらに殺意を抱いているとわかっているような者にも、時として向かい合わなければならないこともありますが、そんな時にはうんと落ちついて相手を呑《の》んでかかるに限ります。どうせ向こうは、自分の利益のためにこちらを殺そうというのですから、相手の希望や本心をよく見抜いて、向こうの目ざしている利益よりも、一つ先の利益を示してやるのです。そして一つ一つ相手の先回りをして、向こうが突き出す手を、逆にうんとたぐり込んでやるのです。すると相手も面食らって、俺の手におえる人間ではないと気がつくものです。すると敵意もくじかれてしまって、はじめは恐ろしげに脅かすような顔をしていたのが、だんだん頭に冷や汗をかいて、本心を白状してしまうか逃げて行ってしまいます。

殷桃娘《いんとうにゃん》　でももし、向こうもこちらを呑《の》んでかかってきたらどうしますの？

鐘離昧《しょうりまい》　そうなったら呑《の》み合いですね。大きくて力の強いほうが勝ちです。

殷通《いんつう》　まあ父さまに任せて安心していなさい。この会稽《かいけい》の殷通《いんつう》が、あの若い壮士《そうし》一人くらいを恐れるようでどうする。まさかあれに呑《の》まれるような事もあるまい。

鐘離昧《しょうりまい》　はは。ではまた、いずれ後ほどお目にかかります。元より安心はしておりますが、どうぞうまくおやりになることを祈っております。

殷通《いんつう》　天がこの殷通《いんつう》を見捨てない限りはな。はははは。あとのことは宜しく頼みましたぞ。

鐘離昧《しょうりまい》　承知しました。ではお嬢さま。失礼いたします。今晩またお目にかかる時には、もうあなたさま

も先刻は馬鹿な心配をしたものだと、おわかりになっているでしょう。（退場）

殷桃娘《いんとうにゃん》　（間をおいて）お父さま。

殷通《いんつう》　何だ？

殷桃娘《いんとうにゃん》　きっと大丈夫！

殷通《いんつう》　お前はこの父親をそんなに見くびっているのか？

殷桃娘《いんとうにゃん》　まあ、見くびるなんて、そんなことあるはずないですわ。でもお父さまは「天が殷通《いんつう》を見捨てない限りは」なんておっしゃるんですもの。

殷通《いんつう》　ああそれは、天がこの殷通を見捨てることはなかろうということを、少し遠慮していったまでだ。天には、いつも遠慮して控え目にものをいわなければいけないのだよ。つけ上《あ》がっているように思われてはならぬからな。これから旗を挙げようというのに、天に見捨てられるようなことがあってはたまらないからな。だから小声で、あるいは胸の中でそっと自分にいうだけにしておかなければならないのだよ。

殷桃娘《いんとうにゃん》　他の人とお会いになるのなら、私もこんなに心配はしないのですけれど。なにしろ項羽っていう人は、あの恐ろしい秦《しん》の始皇帝がこの会稽《かいけい》に来た時でさえ、群衆の中から唯《ただ》一人で飛び出して行って、いきなり刺し殺そうとしたほどの荒武者ですから、何をするかと心配でなりませんの。

殷通《いんつう》　それは、秦《しん》が項羽の家にとって代々の仇《かたき》である上に、始皇帝があういう非道な暴君であったからそんなことをしたのさ。しかしやつは俺に何の怨《うら》みがある。もうあれこれいうな。お前がどういったとしても、父さまは彼らに会う必要があるのだ。もうそろそろ来る時分だ。さあ、お前は暫《しばら》く向こうへ行っておいで。そして馬に飼い葉をやり過ぎはしていないかどうか、見ておいで。

殷桃娘《いんとうにゃん》、何かいいたげにしつつも、渋々《しぶしぶ》退場。殷通《いんつう》また地図を見る。風の音。殷通《いんつう》立ち上がって何か考えながらあちこち歩きまわる。窓の所に行き、街の様子を眺めたりする。

殷通《いんつう》　チェッ。あいつが下らんことをいうものだから、俺の中の臆病の虫がとうとう目を覚ましてしまいおった。誰にも知られずにいるからいいようなものの、それが人に知れようものならとんでもない恥さらしだ。馬鹿馬鹿しい。だが気のせいか、あの鐘離昧《しょうりまい》というやつも口先ばかりで、何だかそう当てにならないような気がするわい。やつめ、桃娘《とうにゃん》のことで、少なからず俺に怨《うら》みを抱く理由があるからな。といっても、勘《かん》ぐるのも不愉快だ。やつだって、少しは俺に恩を感じているはずだしな。万事は天に任せるのだ。今更この会見を見合わす訳にも行かんし、そんなことをすればかえって危険だ。何、案外たやすく思った通りにいくかもしれんしな。あの男だって命は惜しいのだ。なによりも野心が強いわけだし、そんな無茶なことをすることもあるまい。項羽らもこちらに来る途中で、季布《きふ》が五十騎を連れて出迎えているのに会えば、この俺を斬ってただでは帰れないことに気がつくだろうよ。それにあの城門の側に屯《たむろ》している鐘離昧《しょうりまい》の兵も見るしな。そこでこの部屋では、俺が一人でいかにも打ちとけた調子で歓待している様子を見せるのだ。（うなずきながら微笑んで）たいしたことないではないか。風のやつめ、しきりに唸《うな》りを立てて、この俺を脅《おど》かそうとしているな。この歳になって、そんなことに肝を冷やすようでどうするものか、俺

ああ、私どうしよう。きっとただでは済まない

だって一門の長《おさ》だ。……ええと、だがこんな場を見られては、不安がっているようで、家来の手前、まったく格好がつかんな。もっとも何か考えているように思われるならさしつかえはないが。おちついて地図でも見てやるか。（風、窓をガタガタいわす。殷通《いんつう》、ビクッとする）ええい！　どうしようもなく臆病だな、俺は。生まれつき人の上に立つ器がないのか？　なあに、阿呆《あほう》でもない限り、臆病でないやつがいるものか。まさか俺のこんな独り言を誰も聞いてやしまいな。（立って幕を開き、また扉を開けて確認する。安心して）聞かれてたまるものか。それにしても鐘離昧《しょうりまい》のやつ、いまだ部下を寄越《よこ》してこないな。やつも怪しいものだ。（不安そうに）だがこんなことをしていても仕方がない。俺は別の部屋で待っていよう。そして彼らをここへ通させておいて、それから煙草《たばこ》でも持って出るのだ。こんなものは片づけておいてと。（地図をたたみ）ああ、（頭を振り、拳《こぶし》で胸を押さえ）いやにここが不安だ。あいつの子供っぽい心配が、いわゆる虫の知らせというやつでなければいいが。ちえっ。また下らんことを。しっかりしろ。（退場）

舞台、一時、空。やがて戸外でワイワイいう声。殷桃娘《いんとうにゃん》、乳母とともに出てくる。

殷桃娘《いんとうにゃん》　とうとう来てしまったよ。ああ、私どうしよう。きっとただでは済まない気がするけれど。お前、大丈夫だと思うかい？　ええ？　婆や。

乳母　何だかたいそう大きな人でございますねえ。まるで犬殺しか、ごろつきの親分のようでございますね。

殷桃娘《いんとうにゃん》　ああ私、心配だわ。心配だ。私、今から行って断ってやろうかしら。今、急にお加減が悪くなって、お目にかかれないって。ああもう石段の所まで来てしまったよ。何だってお父さまはあんな人をお呼びになったのだろうね。（幕を開け）それにまだ誰も来てやしないわ。もう間に合わない。ああ、どうしたらいいだろう。

乳母　お嬢さま。大丈夫でございますよ。全部気のせいでございますよ。なんの、いくらきつい荒武者《あらむしゃ》だといったって、獅子や虎ではあるまいし。私たちと同じように、涙も持っていれば、情けの血も通っている人間ではございませんか。人が乱暴をするのは、自分の身が危ないと思えばこそです。自分が大丈夫だということが分かって、しかも向こうから歓んでもてなされて、喜ばない者がございましょうか。もうお止《や》めあそばせ、そんな無駄なご心配は。あまりお疑いあそばすと、かえっておためになりませんよ。さあさあ、あちらへ参りましょう。

殷桃娘《いんとうにゃん》　そんなことといっても、きっと大丈夫だということが、どうしてお前にわかるの？　世の中には、自分の利益のために、平気でむごたらしいことをする人だっているわ。まあ、あの雲をご覧よ。真っ黒じゃないか。ああ絶対、何か恐ろしいことが起こるんだわ。それともお前のいうように、私の気のせいかしら……。

乳母　ええ、ええ、まったく気のせいでございますとも。でもお嬢さま、そんなに気になさいますなら、そこの入り口に立っていらっしゃいませ。そうやって、ご自分であの人たちをお出迎えになって、ここにお通しあそばせ。そうすればあの人たちも、この可愛いきれいな娘はあの殷通《いんつう》の娘なんだなと思うでしょう。そう思えば、あの人たちの堅い心をまず和《やわ》らげられます。そしてあの人たちの胸に、お嬢さまとお父さまとの間の温かい親子の愛情が伝わってまいります。するとまた、あの人たちの荒い心に、それに対する情けが起きてくるでしょう。そしたら、たとえお父さまに何か怨《うら》みを持っていたにしても、その気が変わって乱暴なことがしにくくなります。

殷桃娘《いんとうにゃん》　そう……。では婆や、そうしようかしら。（うろうろして）ああ、どうしよう。そんなことをしたって効き目はないと思うけれど、仕方がないわ。やって見るわ。

乳母　あまり堅くおなりになって、向こうを疑《うたぐ》るようなきつい顔をなさってはダメでございますよ。そうかといって、あまりお優しくお見せになり過ぎてもいけませんよ。本当に上手に、自然におやりにならなければ、かえってそのためにまずいことにならないとも限りませんからね。では私は向こうへまいりますよ。よろしゅうございますか？（退場しようとする）

殷桃娘《いんとうにゃん》　（身もだえして）ああ婆や。婆や。私も行くわ。こんな感じでは、私にはお迎えすることなんてできやしないわ。ああ、どうしたらいいだろう？（乳母に抱えられて、あわてて退場）

侍臣、項梁《こうりょう》と項羽とを案内して部屋に入ってくる。項梁《こうりょう》は四十くらいの男。項羽は二十三、四に見える筋骨たくましく威圧感のある大男。

侍臣　（礼をして）しばらくこちらでお待ちください。（退場）

項羽《こうう》　あの幕は何です？

項梁《こうりょう》　なにやら取ってつけたように見えるな。

項羽《こうう》　しっ。

殷通《いんつう》、登場。

殷通《いんつう》　これはお二人とも、ようこそ。

互いに立って拱手《こうしゅ》の礼をする。

項梁《こうりょう》　わざわざお出迎えいただきまして。

殷通《いんつう》　かねてより天下の形勢と、我々が取るべき態度や方針について、有力なあなたがたをお迎えして、親しくご相談をするということは、不肖《ふしょう》の身ながら私の義務であると考えておりました。今日、それを実現すべくお招きいたした次第で、お目にかかれてまことに光栄です。

項梁《こうりょう》　私たちも同じ思いです。悪事をするならひとりがよく、よい事をするなら、力を合わせる者が多いほどいいといいます。私たちも折あらば、お力添えしたいとかねがね思っていたところです。

殷通《いんつう》　時は我々に起《た》てと命じています。ご承知の通り、秦《しん》はみずからの敵が外にあるとしか考えず、自分を大きく見せることばかりに腐心《ふしん》していますが、自分の内側にある滅びの種に気づいていないようです。今の秦《しん》は、ちょうど自棄《やけ》になった悪人が、自分が破滅の淵におぼれていくときに、周りの人も一緒に引きずり込もうとするのに似ております。天下はあきらかに中心を失っているのに、秦《しん》の暴虐に苦しむ者が、日に日にいたるところで増えています。我々に自由を返さないで、非道な圧政はますます募るばかり。民衆に安寧と幸福を与えたい我々が、何かよいことをしようと望んでも、そんなことをすれば、我々の身も危うくなります。もちろん戦いは、我々の激しく忌《い》むところではあります。しかし真の平和を得るためには、暴虐への服従でつくられている、見た目だけの平和をやぶらなければなりません。そしてよいことをすればするほど悪い者に罰せられ、悪いことをすればするほどほめられるような、無茶な政治から民衆を救わなければなりません。

項梁《こうりょう》　民衆の活気と生命の源が、しおれてしまうことは恐ろしいことです。しかし圧政も度を超すと、抵抗が起きてくるものです。その抵抗をまたさらに踏みにじって、もう立てないくらいまで抑えようとしても、実際はそんなことはできないものです。そして彼らの中に生まれた反発力は、かえって抑えこまれたために強くなっているものです。これは義兵を挙げるのに、最も都合がいいのです。

殷通《いんつう》　そうです。それこそが今、義兵を挙げる理由です。民衆は過酷な重税のために、飢えと寒さの中で疲れ切っています。夜も昼も圧政に苦しめられ、秦《しん》の非道に対する怨《うら》みと憤りで、胸がはり裂けるほどになっているのです。でも首を刎《は》ねられることを恐れて、それを口に出すことができず、ただ密かに一日も早く天下の義兵を挙げる者が出ることを、待ち望んでいるのです。ところがあの暗愚な二世皇帝ときたら、昼となく夜となくただもう酒色に溺れるばかりで、民衆の血を搾《しぼ》ることしかしていないのです。

項梁《こうりょう》 いくら愚かでも、まさか自分のしていることがまともだとは思っていないでしょう。でもそこは小人ですから、それに気がつくと自分のしている過ちを認めたくない。ただもう自分への民の抵抗ばかりが、むやみに恐ろしくなったのでありましょうな。すっかり慌てふためいて、やたらと民を抑えつけようとあせっているのでしょう。これでは民も、たまったものではありません。

殷通《いんつう》 まったく力の使い道を知らない者が力を持つくらい、厄介なものはありません。が、とにかく機は熟しています。この機に臨んでなお、手をこまねいて何もしないのは、我々としてあまりに情けないことです。今起たなければ、お互いに起つ時はなくなります。時機をあやまらず、そして生かすことは、昔から何事にも大事なこととされています。しかもこの江東の地は、都の咸陽《かんよう》からとても離れているので、ひそかに兵を募るにはもってこいです。

この時幕の裏に大勢の兵士のドヤドヤと入ってくる音がする。項梁《こうりょう》と項羽とは目を見交わす。殷通《いんつう》は顔に不安の色を浮かべる。兵士ら幕の裏にあってことさらガチャガチャ剣を鳴らす。

殷通《いんつう》 (不安の余り苛立《いらだ》って) これは何ごとだ? 誰だ、そこに来たのは。

項羽《こうう》 (立ち上がり)おおかたそんなことだろうと思っていたのだ。我々は、きさまなんぞに与える命は持っとらん! (殷通《いんつう》が身を引くより早く、剣を抜いてその首を斬り落とす)

殷通《いんつう》のアッという叫び声に、殷桃娘《いんとうにゃん》、扉を押し開けて激しく駆け込む。

殷桃娘《いんとうにゃん》　（殷通《いんつう》の身体が横たわっているのを見て驚き、気が違ったようになって叫ぶ）おお、お父さまが殺された！殺された！（家の奥に向かって呼び、走る。館の中、大騒ぎとなる）

項梁《こうりょう》　えらい騒ぎだ。そこも怪しいぞ。

項羽、幕に近づき、剣の切っ先で幕を上げる。鐘離昧《しょうりまい》をはじめとした士卒たちが、平伏している。

項羽《こうう》　不忠な犬どもめ。主人をだまし討ちにしたな。

鐘離昧《しょうりまい》　（前に出て項羽の前にひざまずき）たとえだまし討ちの罪が重いとしても、天下はそれを許すことでしょう。私は天下のために、機を見て「あなた方を殺せ」という命令を私に与えた主人を出しぬきました。その罪は軽くないことはよく知っております。しかし主人を選ぶことは人間の持つ自由であると思います。この人こそ自分が終生仕えるべき人だ、と心服する方に、一つしかない自分の身体と力を捧げることは、私の自由であると存じます。どうか、それをお認めください。

大勢の臣下たち、駆けこんでくる。将軍季布《きふ》、その大勢を押し分け、抜き身の剣を下げて入ってくる。

季布《きふ》　なんだ、この有様は！（血のしたたる抜き身の剣を下げて立っている項羽、平伏する鐘離昧《しょうりまい》を見比べて、驚き、怒り、兜《かぶと》を床にたたきつけて進み出る）逆賊め！　天罰がほしければ、さあ尋常に勝負をしろ。（といいつつも、項羽のところに近寄れない様子）

項羽《こうう》　(ほほ笑み) 殊勝《しゅしょう》な馬鹿者め。命が惜しければ兜《かぶと》を捨てたついでに、そこへひざまずけ。それとも主人に殉《じゅん》じて、俺の剣を汚したいのか？

季布《きふ》　(何もいうことが出来ず、どうしようもなく項羽にくってかかろうとする)

鐘離昧《しょうりまい》　(それを引き止めて) おいおい！　季布《きふ》よ、熱に浮かされて変な真似をするなよ。かけがえのない命を、そんなに安く捨てたがる馬鹿がいるか。そんな危なっかしい腰つきでふらふら向かっていったって、とてもかなわないことはお前だってもう気がついてるんじゃないか。お前の魂はずっと前からこの項羽どのに呑《の》み込まれているのに、そんな無理に形ばかりの忠義を見せたがるのはよせ。悪いことはいわない。俺はお前のためを思うのだ。さあ早く俺と一緒に降参してしまえ。

季布《きふ》　チッ。忌々《いまいま》しい。おい鐘離昧《しょうりまい》。お前の根性がそんなに腐っていようとは思わなかったぞ。項羽どの。こんな犬にも劣った畜生めを信じてはいけませんぞ。ああ、ああ、俺はこんな穢《けが》らわしい所にいるのも嫌だ。(行こうとする)

項羽《こうう》　待て。こんなやつは殺す価値もないが、きさまには可愛い所がある。今日から生まれ変わって、俺の家来になれ。きさまは俺という幹《みき》にからまってはじめて生きることができ、花を咲かすことができるのだ。

項梁《こうりょう》　おい、項羽。腹の黒いやつは、使い道によってはかえって役に立つものだ。この鐘離昧《しょうりまい》とやらも、我々が活《い》かして使えば、案外役に立つものだぞ。こやつが出し抜いた殷通《いんつう》は、やつにとって恩があった主人の秦《しん》を裏切ったのだ。こやつが殷通《いんつう》を裏切る理由にはならんが、殷通《いんつう》は裏切られても不服のいえない反逆人だ。いってみれば、当然の天罰を受けたのだ。

項羽《こうう》　では、かわいそうな反逆人殷通《いんつう》の犬死に免じて、きさまの命は俺があずかることにしよう。きさまの主《あるじ》、殷通《いんつう》に対する不忠《ふちゅう》の罪亡ぼしに、今後はひたすらこの項羽とその叔父項梁《こうりょう》に忠義をつくすがいい。それがとりも直さず、天下の為につくすことになるのだ。

鐘離昧《しょうりまい》　身命《しんみょう》にかけて誓います。自分が陥《おとし》いれた主人の顔に、また泥をなすりつけるようですが、殷通《いんつう》は到底、私たちが身をまかせられるほどの大人物ではありませんでした。龍は風雲に乗じて天に昇るといいます。風雲を呼び寄せて、それに乗ることのできるのは龍だけです。今や風雲は中国の全土に覆いかぶさっており、あちこちでその風雲に乗ろうとする者が出てきて、われこそはその龍であろうと勝手に自惚《うぬぼ》れています。しかし見渡すところ、これこそ本物の龍になるだろうと思える者は、失礼ながらあなたのほかにはおりません。実は先ほど、城門の所であなたをお迎え申した時に、はっきり私にはわかったのです。あなたさまをひと目見た時、私の心が躍《おど》り上がったのです。それはまるで、籠の中の鳥が蓋の開いたのを見た時のようでした。そしてその時に、私の迷っていた心は覚悟をきめたのです。

項羽《こうう》　するとその時までは、きさまも俺を殺すつもりだったのか？

鐘離昧《しょうりまい》　私の気持ちは、とうにあなたへ向かっておりました。しかし私の体は、義理という縄で殷通《いんつう》に結びつけられていたのです。それで私はどちらにつこうかと迷った挙げ句、今日の会合を機に、それを決しようと定めたのです。しかしこう申し上げたところで、せいぜい口先のお世辞であるとお取りになられても仕方ありません。何を隠そう、私はこの機会をつかって、あなたをおためし申したのですから。

項羽《こうう》　それが口先ばかりでないというなら、きさまは今の世にめずらしく、たいした眼力を持ったやつだ。

鐘離昧《しょうりまい》　どうぞあなたをおためし申したという私の僭越《せんえつ》をお許しください。そして私に二心のないことをお認めください。私が主人を出し抜いたのは、せっかくこの世に男として生まれたからには、少しでも天下のために自分をよく生かしたいという純粋な望みがあったからで、何も好んで不義をした訳ではないのです。

季布《きふ》　なあに、この男にはもうひとつ大きな理由がありますぞ。実はこいつ、殷通《いんつう》の娘の桃娘《とうにゃん》という者に結婚を申し込んで、殷通《いんつう》にきっぱり断られたのです。この男は、それを怨《うら》んでいました。

項梁《こうりょう》　ふむ、さっきの娘だな？　確かに、なかなかかわいい娘だな。

鐘離昧《しょうりまい》　それは殷通《いんつう》が、その結婚を利用して、この家の財産をねらっているのではないかと、私を疑ったからです。

項羽《こうう》　黙れ。そんなことはどうでもよい。この項羽を、殷通《いんつう》同様に出しぬけるものなら出し抜いてみるがいい。自分が龍であるか否《いな》か、俺はそれをまだ口にするつもりはない。ただ天は俺に征服を命じた。だから俺は征服する。俺は殷通《いんつう》のように、秦《しん》が非道であるから兵を挙げるなどという姑息《こそく》な言い訳は作らぬ。たしかにわが家は秦《しん》のためにひどい迫害を受けた。だがその復讐のために起つともいわぬ。わが祖先が受けた仇《あだ》は、俺の仇《あだ》ではなくわが祖先の仇《あだ》だからだ。もし秦《しん》の皇帝が賢明で徳のある名君で、その天下が太平であったとしても、またたとえわが一族が秦《しん》のために恩を受けていたとしても、逆にわが仇《かたき》となるものであったとしても、俺が起つことに変わりはないのだ。俺は起つべく生まれたのだ。俺の内にある運命が、大釜の中に沸き立つ湯気がその蓋《ふた》を押し上げるように、俺を内から押して押してその力を吐き出さずにはおかないのだ。だから俺はそれを吐き出すこと以外、知らないのだ。そして俺がその力を吐き出しきったときが、すなわち俺が天下を征服しきった時でなければならぬ。俺の内の運命の力が衰えない限り、俺はあくまでもその力を出し続けることによって進む。またあくまでも進むことによって征服する。なぜか？そのなぜかを誰が知っているのか。ただ天が知るのみだ。俺に従う心ある者は今日より俺に従い、お前らの運命を俺の運命に固く結びつけろ。俺はそれを天高く引きずって行ってやる。それが恐ろしければ、今のうちにおとなしく引き退がっていろ。

鍾離味《しょうりまい》

季布《きふ》をのぞく一同、おのずと平伏する。

さあ、季布《きふ》。もういい加減に降参してしまったらどうだ？　どうせそうなるのだから、早くしてしまえ。「寄らば大樹の陰」ということもある。お前だってそれだけの腕と野心を持っているから、急にいつもの考えを変えたりすることもできないだろうがな。かといって、当てもなく他を探し回ったところで、とても項羽どの以上の英雄に出会えないことは俺が保証する。お前だってもう、実は内心それを分かっているのだろう。ええ？　どっかのいい加減なやつを主人にして、あっという間に項羽どのにうち滅ぼされてしまうよりは、早く今のうちに味方になって、得がたい主君を得た幸運を俺と一緒に喜んだらどうだ？

項羽《こうう》 余計な口をきくな。分をわきまえよ。俺はみずから進んで従う気のない者を、きさまらごときの勧めを借りて家来にしたがるほど、臣下を重く見てはおらぬぞ。そんな者が一匹や二匹、何だというのだ。来たくない者はさっさと失せろ！　そんな者を惜しがる俺と思うか。

季布《きふ》 （剣を投げ捨てて、項羽の前へひざまずき）降参いたします！　今日ただ今から、この身を閣下に捧げます。いかようにもお使いください。私は閣下のために身を粉にすることを惜しみません。「良禽《りょうきん》は木を択《えら》ぶ」といいます。こんないい木を見ても、それをわからないで尻込《しりご》みした私は、良禽《りょうきん》ではなかったのでしょう。いや、閣下という木があまりに大きくて、私は面くらったのかも知れません。本当に私は盲目でした。あやうく下らない男気のために、一生を棒に振ってしまうところでした。

鐘離昧《しょうりまい》 まったくお前は、今まで世話になったこの籠《かご》を、「自分には小さ過ぎる」などといっていつも不平をいっていたくせに。なのに、自分の目の前に、自分の翼を本当にのばすことのできる大空がいざ開かれると、どうしてよいかわからなくなって、もとの籠にかじりつこうとするとはな。そんなに混乱することもなかろうに。そのくせ、先へ飛び出した俺を、やれ根性腐れだの、犬よりも劣った畜生だのと、ずいぶんいいたいことをいってくれたものだ。

季布《きふ》 いや、悪かった。許してくれ。だが俺だって、まさかお前があんなふうに慇通《いんつう》を殺そうとは思わなかったからな。

鐘離昧《しょうりまい》 だが俺が不忠をしたお陰で、本当に自分の身体を捧げがいのある本当の主人をえられたのだから、お互いによしとするべきだな。これこそ小さな忠を捨て、大きな忠につくというものだ。

季布《きふ》　まったくだ。俺は何だか目が覚めたような気がする。そして何かこう、身体に新しい力が湧いてきたような気がするよ。（そこにならぶ兵卒に向かって）おい、皆の者。今日からはこの方が我々のご主人だ。ご挨拶を申し上げよ。

季布《きふ》に従う兵卒一同、項羽に平伏する。

項羽《こうう》　お前らと俺とは一つだ。俺は親となって、お前らを子のように俺の翼の下へかくまってやるだろう。これから苦難がつづくことも覚悟してもらいたいが、俺を信じてずっとついてくるがいい。よいな。まずは今日、ここにいるわが叔父項梁《こうりょう》を立てて、ここ会稽《かいけい》の太守とする。皆、しっかり仕えるのだ。

一同また叩頭《こうとう》する。

項梁《こうりょう》　（立って挨拶し）殷通《いんつう》の後をうけてここの太守となった項梁《こうりょう》である。及ばずながら、できるだけのことはいたそう。この天下はおおいに乱れているが、そのような中で、諸君の大いなる助力を期待している。

鐘離昧《しょうりまい》　季布《きふ》と私の将兵七千が、この城下に集結しております。早速ですが、これからご引見《いんけん》いただき、ひと言給《たま》わることができれば、一同もさぞ喜んで勇気づくのでありますが。

項羽《こうう》　よかろう。ではこの殷通《いんつう》の遺体《いたい》は丁重《ていちょう》に葬《ほうむ》るように。そちらの一切は季布《きふ》に申しつける。

項梁《こうりょう》、項羽の耳に何かささやく。

項羽《こうう》　（笑って）大丈夫です。さあ行きましょう。

項羽、項梁《こうりょう》をはじめ一同退場。護衛二人残る。

護衛甲　どうだ。まるで恐ろしい夢を見ているようだな。ちょっとの間に天地が引っくり返っちまったようだ。

護衛乙　まったくだ。俺はただ呆気《あっけ》に取られちまったよ。でもよ、あんな若い歳であの勢いは素晴らしいなあ。

護衛甲　あんなのは、見たことがねえ。どれ、片づける前ちょっと行って見てこようぜ。

二人去る。殷桃娘《いんとうにゃん》、髪を乱して一方よりかけ寄る。

殷桃娘《いんとうにゃん》　（気が違ったよう殷通の身体に抱きつき）ああ、あの畜生め！　畜生！　ああ、どうしたらいいだろう。覚えていろ。この仇《かたき》は死んでもとってやるぞ。きっと、きっと、とってやるぞ。ああ、ああ。（泣

き崩れる）

「お嬢さま、お嬢さま」と乳母の探し呼ぶ声、次第に近づく。

（幕）

楚

国士無双《こくしむそう》

国にいる優れた人物のなかでも、並（双）ぶ者がいないほどの傑出《けっしゅつ》した人物をさす。楚漢戦争《そかんせんそう》で活躍した韓信《かんしん》の働き（「淮陰侯伝」）から生まれた故事成語。韓信《かんしん》の戦いが項羽《こうう》と劉邦《りゅうほう》の運命にも大きく影響する。

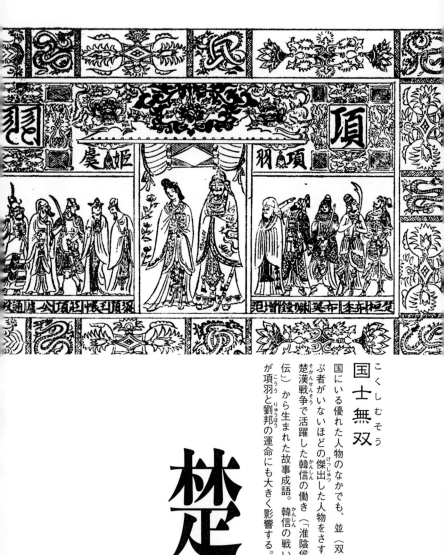

漢

項羽と劉邦

第一幕

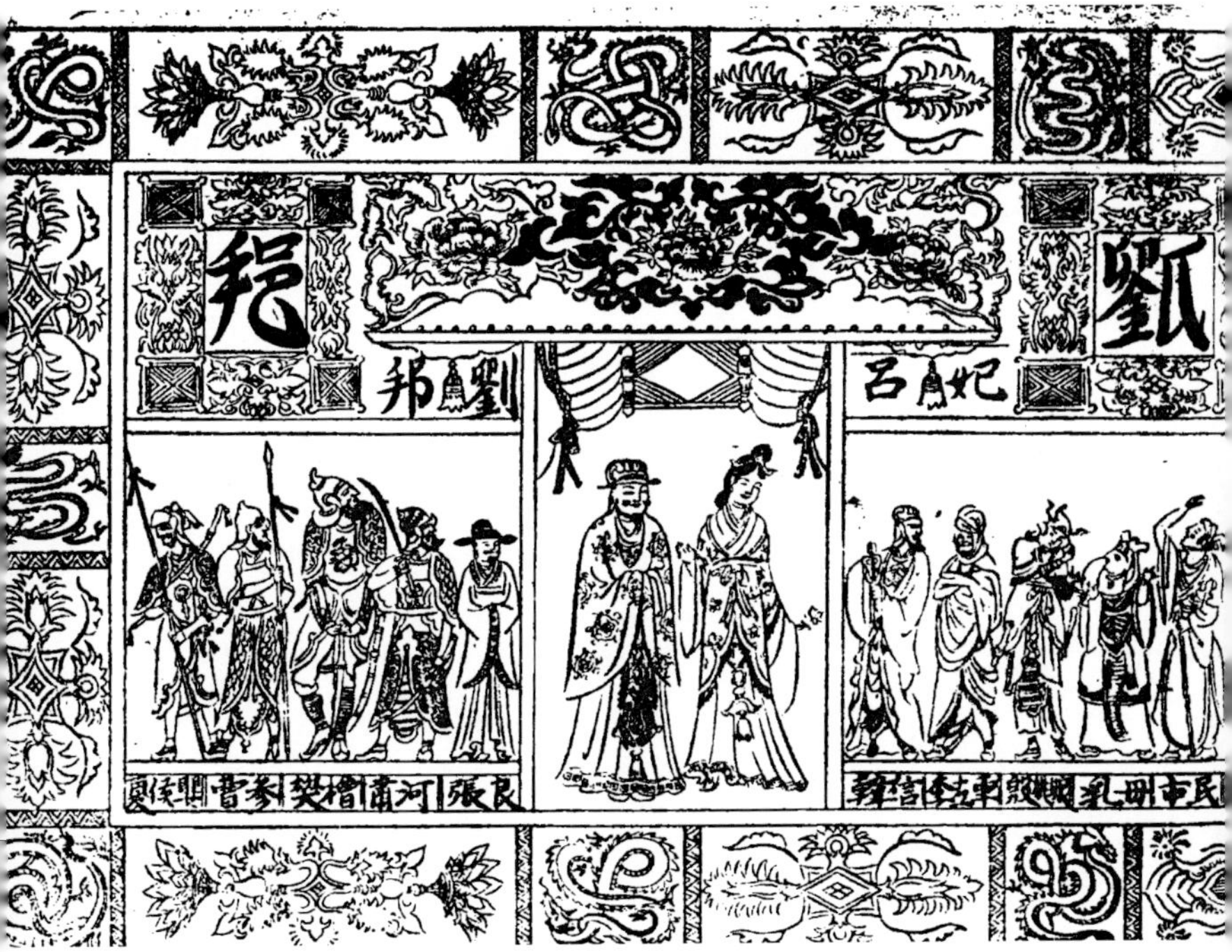

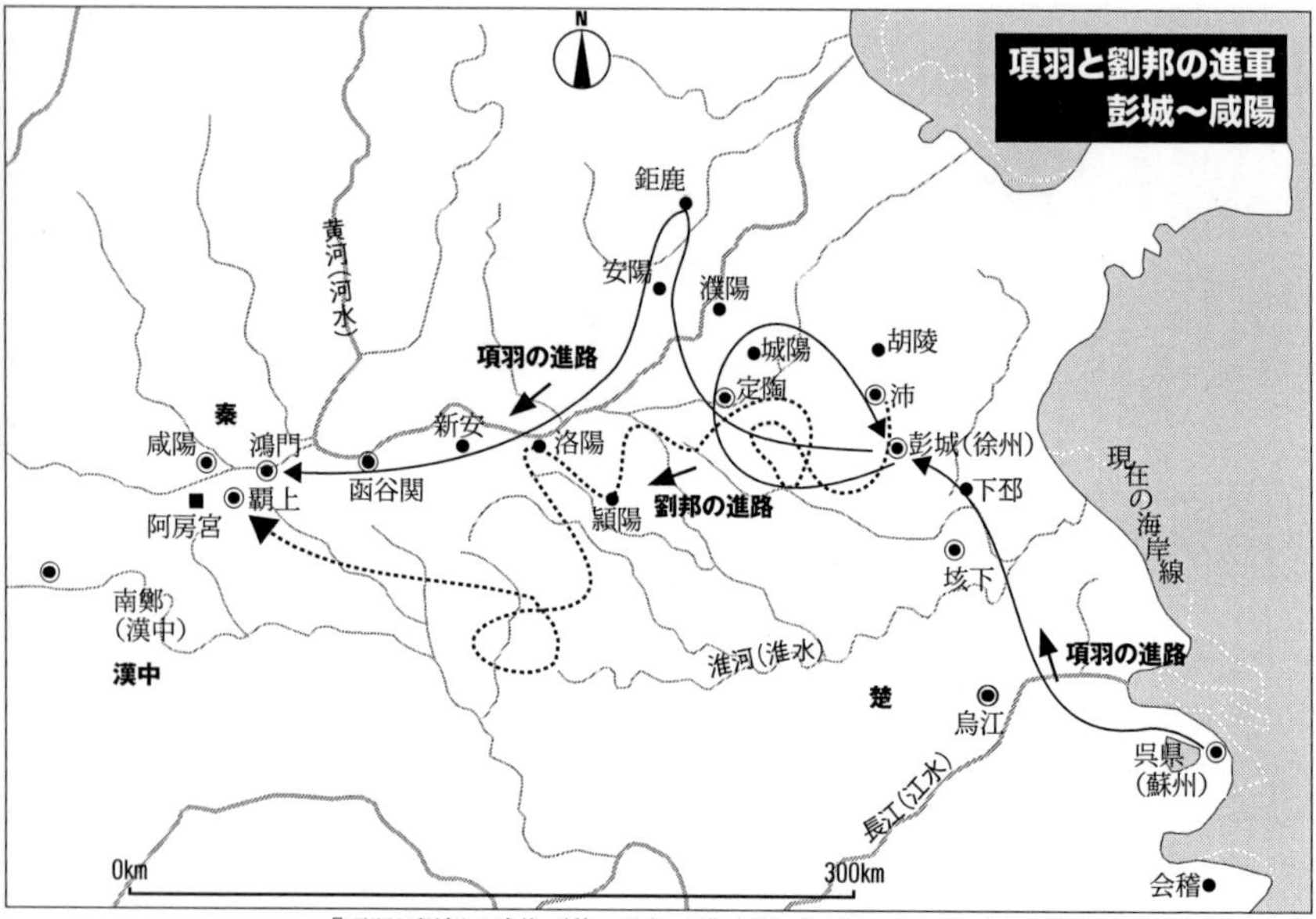

『項羽と劉邦の時代』（藤田勝久／講談社）、『最新国語便覧』（浜島書店）を参考に訳者作成

第1場

徐州、塗山《とざん》駅の虞一公《ぐいっこう》邸

虞姫《ぐき》、ひとり窓ぎわで機織《はたお》りをしている。なにやらまったく気乗りがしない様子。手を止めてため息をつく。自分がため息をついたことに気がつき、なんとなく入口のほうを見る。そして立ちあがり、そっと窓から身を乗り出すようにして、遠くをながめる。秋の夕陽が彼女の顔を照らす。虫の声が聞こえる。彼女はがっかりした様子。なにも手につかず、ぼうっと立っている。急に、何かの音に気がついたように、ハッとする。そそくさと機《はた》の前に腰を下ろし、機《はた》を織っていたふりをする。養父《ようふ》、虞一公《ぐいっこう》、静かにあかりを持って登場。

養父　驚かせてすまないね。わしだよ。

虞姫《ぐき》　あら、（とぼけてそちらを振り向いて）いいえ、そんなことはないですわ。お父さま。

養父《ようふ》はあかりをテーブルの上に行き、火種で明かりをつける。やや手間どる。

養父　どうだ。なかなか忙しいのかな？

虞姫《ぐき》　何がでしょうか？

養父　何がって、お前は一人で二つの機《はた》を織らねばならぬからな。目に見える機《はた》と、目に見えない機《はた》とを。はは。

虞姫《ぐき》　まあ、お口の悪い。でもそれなら、二つではありませんわ。三つでございます。
養父　三つというのはわからんな。
虞姫《ぐき》　お父さまは私をそんなに親不孝だと思ってらっしゃいますの？
養父　いや、わしはお前がわしのことをいったのか、それともあのお前に惚《ほ》れている王陵《おうりょう》のことを指したのか、ちょっとわからなかったのだ。両方だとすると四つになる訳だからな。
虞姫《ぐき》　私は、もうあの人のことなんか、思い出しもしませんわ。
養父　おいおい、かわいそうとは思わないのか。もっともその中の一つに比べると、他の三つは、まるで太陽の前に並ぶ石ころのようなものだからな。
虞姫《ぐき》　私がつけましょう。
養父　いや、これはわしの役目だ。お前はまあそこにおいで。お前がこんな薄暗いところで機《はた》を織っていても、今日だけは、目を悪くはしないかなどと心配しないがな……とにかく、花嫁というものは、あまり働かないものだ。（明かり、ようやくつく）
虞姫《ぐき》　花嫁などとおっしゃっては嫌ですわ。まだそんなものになってもいないのに。
養父　（燭台《しょくだい》をふきながら）はは、人間は一生に三度、人に顔を見られるという。産まれた時と、婚礼の時と、死んだ時と。お前は今、そのなかで一番めでたい二度目の時にいるのではないかな。（間）お前、ほんとうに嬉しそうだね。
虞姫《ぐき》　私は嬉しいのだか、何だかわかりません。ただ胸が妙に重苦しいのです。切ないのです。
養父　あまり嬉し過ぎて、自分ほど世に幸せな者はない、運命に愛されている者はないような気がして

虞姫《ぐき》　くると人間は切なくなるものだ。何となく「自分には過ぎたものだ」「もったいない」「ありがたい」という気がしてくるだろう。すると、もう死んでも惜しいことはない、何かの祭壇に「喜んで自分の身を生け贄《にえ》として捧げたい」というような気がして、じっとしていられなくなってくるだろう。だから切ないのだ。

養父　それに私は、なぜか寂しくってなりませんわ。お父さま。

虞姫《ぐき》　人の気持ちというものは、普段でもいろいろの面を持っているものだ。ことに感情が高まっている時は、その面の異なった色もそれぞれ濃くなってくる。だからお前が幸福になればなるほど、もう一方で寂しさもはっきりしてくることは避けられない。一方につくということは、もう一つから離れることを意味するからな。新たにつく喜びの裏には離れる寂しさもあるのだ。

養父　お父さまのお気持ち、お察ししております。

虞姫《ぐき》　お前がわしを察してくれると、わしはなお、お前のことを考えてしまうのだよ。とにかく両方から求められるのは、一方に求められる者よりはずっと辛いからな。

養父　(間)お気持ちがすっきりするまで、おっしゃってくださいませ。お父さまが溜《た》めてらっしゃるお心の内を伺《うかが》うほうが、この寂しさにずっと耐えやすくなりますわ。

虞姫《ぐき》　いやいや。泣き言はいうもんじゃない。ちょうど庭師が、長い年月をかけて丹念して育てた植木を、これからが花の見頃だというところで人に売ることを喜ぶようなものだ。わしも喜ばねばならんのだ。

養父　でも庭師は、また花を作ることができますけれど……。

養父　もちろんわしにはできないさ。それどころではない。早くに妻を失ってしまった老いの身のわしにとっては、（頭を振り）いや、わしはそれを言ってはならないのだ！　わしは心からお前を祝うぞ。なにせ悦びというものは一番貴《とうと》いものだからな。そういう貴《とうと》いものは、人の一生にそうたびたびあたえられるものじゃない。わしはお前の運命がますます大きく花を咲かせて、立派に実を結ぶことを心から祈るぞ。なあに人間はどんなに絶望した境遇《きょうぐう》でも、いざとなればどうにかして不思議に生きていけるものだ。心配することはない。なにしろわしはこんなに喜んでいるのだ。

虞姫《ぐき》、養父の胸に額をよせて。涙ぐむ。

養父　お前は泣いているのか、泣いてないのか。どれ、見せておくれ。（虞姫《ぐき》の目に涙のあるのを見て満足し）おお、お前の目には露が宿っているな。よしよし。（虞姫《ぐき》の織った布を見て）はは、しかしどうだ。お前は目に涙をためても、心のよろこびを隠せていない証拠が、ここにあるじゃないか？　それ、お前はここの赤と紫とを織り間違えている。赤を通すところに紫を通している。

虞姫《ぐき》　おやまあ。明かりが暗かったので。

養父　いや、明かりがどんなに明るくとも、一度にいくつもの機《はた》を間違えずに織れる者がいたら、それは人間とはいえんだろう。お前が少し間違えたとしても、べつにおかしな話ではない。なにせ知る限りの乙女たちは、皆、お前を羨《うらや》んでいるのだぞ。

虞姫《ぐき》　あの人たちがそんなに私を羨《うらや》んでいるのでしょうか？

養父　まあな。あの者たちは、お前にそう思うことさえおこがましいと思っているかもしれんな。
虞《ぐ》姫《き》　まさか。ただ私はあの人たちが気の毒でなりませんわ。何だか自分ばかり、よすぎる目にあっているような気がしてしまって。
養父　そのくせ、お前はあの女たちをそうやって憐れみながら、軽蔑《けいべつ》したくなるのだろう。なにやら自分がえらくなったような気がして。
虞《ぐ》姫《き》　ほんとのことをいいますと、ちょっとばかりそうですの。お父さま。私はそれが悪いことだと感じてしまって、なるべくあの人たちに会うことを避けようと思いながら、つい会わずにはいられなくなりますの。
養父　あの女たちから、何とか「おめでとう」をいわせようとしてな。わしはよく見ているぞ。お前があの者たちに会っている時は、お前の様子は羊のようにしおらしいがな。しかし、お前の目にはいつも孔雀のような誇りがあふれている。なんとしても自分に祝いの言葉を捧げさせるぞ、というように見えるよ。しかしな、そんなふうでもお前はとても美しいのだよ。
虞《ぐ》姫《き》　(間) お父さま。お寒くはありませんか？
養父　わしの身体には、お前の半分の血もないだろうが、それでもお前のように寒くはないよ。どれ、わしがお前の手を温めてやろう。(虞《ぐ》姫の手を握る)
虞《ぐ》姫《き》　まあ、お父さまの手の温かいこと。
養父　(淋し気に笑う) いや、それよりもお前の手が冷たいのだ。わしはこんなに冷たいお前の手にさわったことはないぞ。冷たい手と、温かい溜息《ためいき》と。いや、わしも昔はな、お前のようにぞくぞくした、

ああ、手を振っていらっしゃる。あの烏騅に乗って

虞姫《ぐき》　なにか落ち着かない気持ちで、刻一刻と自分に近づいてくる幸福の羽音に耳を澄ましたこともあるのだよ。ん？　お前はわしのいうことを聞いているのか、はたまた、その青い翼の生えた使いの羽音に、耳を傾けているのか？

……わかりませんわ。お父さま。

養父　いや、それは当たり前のことだろう。だが今のお前には、その羽音ほど高く響くものはないはずだ。そしてお前はその使いの背に乗ってどこに行くのか？「どこへ行くって、あの人の行くところならどこへでも」と、お前は胸の中でわしを笑っているな。（空虚《くうきょ》な笑い）いや、わしはここにいて、遠いところからわしを迎えにくる、黒い翼の使いの羽音に耳を傾けながら、お前たちがどこまで昇って行くかをこの窓から見ていよう。そして、それをわしの唯一の慰《なぐさ》めにし、楽しみにしよう。なにもそんなにしょげることはない。おお、ごらん。いつの間にか月が上《のぼ》っている。今宵《こよい》は、月もお前を祝福してほほ笑んでいるように見える。「すばらしい婿に嫁《とつ》げてお前は運がいいな」といっているようだ。そしてあの項羽には、「この上なく素晴らしい花嫁を迎えられてしあわせだな」といっているように見えるな。

虞姫《ぐき》　（恥ずかしそうに）ほんとにすてきな月夜になりましたわ。でも私はなんだか、月に顔を見せるのが厚かましいような気がしてしまって。

養父　そのせいか、もっと月がお前の顔をのぞき込もうとしているように見える。月から見たら、恋人に思いをはせて待ちあぐねて不安になっているお前も、お前に会いたくて胸をドキドキさせながら千里の道を矢のように飛んでくるあの項羽の心も、またお前を惜しむこの父も、そしてまたそ

虞姫《ぐき》　の父を憐れむお前の心も、皆、いじらしくばかり見えるだろう。月は誰の心をも知ってるように見える。

虞姫《ぐき》　（ぶるぶると身震いしておさえきれないように）ああ、お父さま。私はどうして、こんなに気が弱くなってしまったのでしょう？

養父　実は、お前は誰よりも強いのにな。

虞姫《ぐき》　誰よりも強いとは、どういうことですの？

養父　そりゃあ、あの剛勇並ぶ者のない項羽さえ、お前の前では兜《かぶと》をぬいでひざまずくではないか。

虞姫《ぐき》　ああ、……。（ため息をつく）

養父　そうやってお前が一つ溜息をつけば、それだけお前の恋の力は強くなるのだ。どんなものでも簡単に手に入ってはつまらんものだ。長く引っ張られれば引っ張られるだけ、それに対するあこがれは強くなるのだ。そしてあこがれが強くなればなるほど、その引きつけるもののありがたみも、よくわかるようになるものだよ。だからそれを最後に得た時の喜びも、一層濃く、深くなるものだ。今はただ待ちなさい。お前が今、辛抱して十分待っていれば、お前の恋はなおはげしく高く昇り、それのもたらす贈りものもまたそれだけ増えるのだ。

虞姫《ぐき》　（ギクッとして耳をそばだてる）ああ、ひづめの音が！

養父　来たか。（寂しげな表情）どれ。（窓のところに行き、外を見る）

虞姫《ぐき》　（おどおどして）ああ、もしかして、あの方がここにおいでになる途中、あの方に怨《うら》みを持つ賊にお討たれになったなどという知らせではないでしょうね？　お父さま。（傍白）もしもそんな知らせだったら、聞く前にこの胸を刺してしまうわ。

養父

まあ、ここへ来て見てごらん。

虞姫《ぐき》

（夢中で窓のところへ行き、外を見る）ああ、あの方です。あの方ですわ。（急に喜びに溢れる）ああ、いらっしゃった。あの方の兜《かぶと》が月の光でキラキラと輝いていますわ。ああ、手を振っていらっしゃる。あの烏騅《うすい》に乗って。ほんとに立派な馬ですわ。

養父

お前の太陽は来たな。さて、わしは消えてしまわんとな。その喜びを思い切り味わうんじゃ。（やむを得ないように退場）

虞姫《ぐき》

（窓より笑顔で手を振る。戻ってくる）ああ、私はあの方にお目にかかれるかどうかが、心配になってきた。もう身体の力が入らない気がする。私には、あの方をお出迎えに行くこともできそうない。だけど、こうしてもいられないわ。あの方はお怒りになるかしら。（息をはずませて、ようやく戸口のところまで、爪先立って忍び行く。向こうより項羽の来る気配がする。そのため、急に逃げるように飛びのいて、部屋の隅に隠れる。その様子はうれしそうでもあり、恐ろしそうでもある）

項羽、足音を忍ばせて登場。戸口の前で立ち止まる。項羽、隠れている虞姫《ぐき》のほうを見る。

項羽《こうう》

（なかば独白のように緊張して）ここへやってくると、いつもながら俺を身ぶるいさせるここの女神は、一体何者なのだ？　それは実体であるにしてはあまりに美し過ぎ、幻影であるにしてはあまりに魅力にあふれ過ぎている。そして俺は、その幻影だか実体だかわからないものの美しさに心を魅《み》

虞姫《ぐき》　せられて、手負いの傷の痛みを忘れてしまう。何だ？　そこの薄暗い隅で、心惹《ひ》かれる光を放って見えるのは？

項羽《こうう》　私が、おわかりになりませんの？　項羽さま。

虞姫《ぐき》　おお、あの声。私の目がそなたを見ることに飢えきっていたように、私の耳が聞くことに飢えていたのは、その声だ。

項羽《こうう》　あなたは、そこで何をいっていらっしゃるの？

虞姫《ぐき》　私はなぜそなたが声を発するのか？　不思議に思っていたのだ。

項羽《こうう》　私は石像ではありませんわ。

虞姫《ぐき》　そなたの声は、空から響く天の声のようだ。私の強い魂は、その響きにおののいて、揺り動かされてしまうような気がする。そなたは私をおびき寄せて、私の力を打ち砕くのだ。

項羽《こうう》　私こそ。めまいがして倒れそうです。私を助けてください。

虞姫《ぐき》　（一歩近より）いや、そんなことはない。そなたは私よりも強いのだ。

項羽《こうう》　あなたは私を花瓶みたいで、手でふれるとこわしてしまいそうな気がして心配だと、おっしゃったではありませんか。

虞姫《ぐき》　私の手はやわらかい。しかし、やわらかく触れることに自信がないのだ。私はそなたに触れることはできそうにない。

項羽《こうう》　まあ、あなたらしくもない。ではあなたは私にさわっては下さらないの？　なぜあなたはいつまでもそんなところに立っていらっしゃるの？　あなたのお顔は私にはよく見えませんわ。

項羽《こうう》　そなたは見るべき人ではない。見られるべき人なのだ。そなたはただ仰いで見られ、静かにそのまなざしを受けるべき人なのだ。

虞姫《ぐき》　誰からでも？

項羽《こうう》　いや、そなたの足もとにいるのは私だけだ。他の者はそなたが私のものだということを、はるか遠くから知るだけだ。

虞姫《ぐき》　そして、あなたが私のものだということも。さあ、早く私をあなたの胸の中に！　私を「愛している」といってください。

虞姫《ぐき》。項羽の胸に飛びこもうとする。項羽、一歩後ろへさがる。

項羽《こうう》　虞美人《ぐびじん》よ。怒らないでください。今日の私は怪我人なのです。

虞姫《ぐき》　（驚く）怪我人？　あなたが。（項羽を月光の下に連れてきて上から下まで見る）まあ、ここには血がついていますわ。ここにも。どうして怪我をなさったの！

項羽《こうう》　私だって怪我をすることはあります。私は妬《ねた》まれていますからな。それに、少しは怪我をする必要もあるのです。それが私の征服欲を刺激《しげき》するし、私が正しいのだということを確信させるのです。

虞姫《ぐき》　相手を殺すことをですか？　あなた、道で賊に襲《おそ》われましたの？　きっとそうではないかと、私は思っていましたわ。あなたのことだから大丈夫だとは思っていましたけれど。

項羽《こうう》　(左の腕をまくり傷を見せる) この通りだ、私は切られている。

虞姫《ぐき》　おお、ひどい。(顔をそむける)

項羽《こうう》　弱いやつでしたが、だしぬけに後ろから切りつけてきたので、私も防ぐ間もなかったのです。しかしこの項羽に傷を負わせたのだから、その男も満足して成仏したに違いありません。

虞姫《ぐき》　ええ、それでその男も、歴史に名が残すことができたというものですものね。ちょっとお待ちになって。

急いで奥に入る。

項羽《こうう》　(虞姫《ぐき》の後を見送り、独白) なんと美しい人だ。あの乙女が美しいのか、それとも美がその姿を現わすために、あの乙女の身体を特に選んで借りたのか、俺にはわからない。むしろ美そのものがあの乙女だと、俺は思いたい。この世にどうしてあんな美しい人が生まれたのか。そこらの生き物と同じように、あの乙女もいずれ死ぬ運命にあるというなら、あんなに美しい必要があるのか?　俺にはまったく不思議でならない。真に美しい者は、自分がその美を知らずにいるように見えるものだ。あの人も自分がどれほど美しく、またどれほどの価値を持っているかを知らずにいる。そうでなかったとしても、あれほど美しいとは思っていないのだ。しかもその貴《とうと》い無自覚が、またその美しさにもっと神々《こうごう》しい魅力《みりょく》をあたえているのだ。俺が正気を失っているのだろうか。ならば戻ってはならんぞ。今これだけ幸福で素晴らしいのだから、それから覚めることがどれだけ

何だ？　そこの薄暗い隅で、心惹かれる光を放って見えるのは？

貴《とうと》い真実への覚醒《かくせい》であっても、俺はそれを犬に食わせてしまうだろう。俺はあの乙女に心を奪われ、迷い込み、溺《おぼ》れてしまった挙げ句に、見知らぬ冥界《めいかい》に落ちていこうとも恨みはしない。それでこの俺の身体と魂が、あの愛らしい美の中に溶けていけるものならば！　まさにそれは俺の願うところだ。あの乙女の神秘的な美しさの波に、身も魂もすべて投げ出して溺れてしまうこと、そしてその中で死ぬことの快楽にまさるものがあろうか。俺は生命にかけて、その迷いを愛する。俺は迷う。迷うぞ。それがどうなろうとも、俺はただ、自分にとって大切なすべきことをする気持ちでやるだけだ。ああ、わが生命の天使は来た。天よ、俺は、汝《なんじ》があの哀れな男をして、俺に怪我をさせるように命じてくれたことに礼をいうぞ。

虞姫《ぐき》、手桶《ておけ》と治療《ちりょう》の道具とを持って、急いで入ってくる。

虞姫《ぐき》　大変お待たせして、お許しください。お痛みになるでしょう？

項羽《こうう》　なんの、このくらいの痛み。いつも快いばかりでは、私にはもの足りないのです。私はこの傷がもっと深くてもよかったと思っているくらいです。

虞姫《ぐき》は項羽により添って、その傷口を洗い包帯をする。

虞姫《ぐき》　本当のことをいうと、私も嬉しいのです。ごめんなさい、ひどいことをいって。でも少しでもあなたのお身体にふれて、あなたの介抱《かいほう》ができると思うと、私の胸がおどるのです。あなたの痛みは、自分の傷のように感じているのですけれども。

項羽《こうう》 この傷が痛そうだからでしょう？　そなたはただの親切よりも、私が痛がる手当のほうが嬉しいのでは？

虞姫《ぐき》 私は残酷《ざんこく》な人間なのでしょうか？　私はあなたがこの傷を私に見せてくださった時、はじめは震えましたけれど、すぐその後から、喜びが胸に湧いてきましたの。私はあの方のあの傷をいじって、包帯することができるのだと思ったら。

項羽の身体は、だんだん虞姫《ぐき》の身体に密着する。

項羽《こうう》 私もはじめは、この傷を受けた時には腹が立った。でも、そなたに洗ってもらうことができると思った時、私は傷を受けたことが嬉しくなった。私は道中、こうしてそなたが私に寄り添って包帯を巻く姿や、この手桶《ておけ》に私の血の垂れることを想像して、傷の痛みを忘れてしまうほどだった。そう、この傷さえも、私たち二人の愛を一層深くすることに役立つと考えていたのだ。（虞姫《ぐき》の肩に右手をまわす）

虞姫《ぐき》はうつむいたまま、じっとしてしまう。手を動かせなくなる。ため息を吐きつつ、さらに項羽に寄りかかるようになる。

項羽《こうう》　私にはそなたの胸の鼓動が感じられる。すまない、そなたのか弱い心臓を、こんなに昂《たか》ぶらせてしまって。（その髪を手にとる）この黒葡萄《ぶどう》のような、しかも艶《つや》のあるふさふさとした豊かな髪を見ただけで、私の胸はおどるのだ。そして私の血は、そのかぐわしさに湧き立つのだ。しかも私は、これからずっとそばにおいて抱くことができるのだ。天下のあらゆる男の嫉妬《しっと》に、同情せずにいられない。

虞姫《ぐき》　そして私は、このたくましくて強い腕を。私はもう何もいえません。

また包帯を巻き、それを終える。三角巾《さんかくきん》で、腕を項羽の首にかけて吊《つ》る。そのとき、項羽が虞姫《ぐき》を右手で抱き、自分の膝の上にのせる。二人そっと抱きつく。長い口づけをする。やがて離れる。項羽考えに沈む。間。

項羽《こうう》　幸福な罠《わな》だ。

虞姫《ぐき》　どうかなさったの？

項羽《こうう》　私はこの罠《わな》で、それを私たちにかけた得体の知れぬやつを捕まえてやる。そしてどういうつもりでそんなことをしたのかを聞いてやろう。（沈黙。虞姫《ぐき》は手で顔をおさえている）そなたは何を考えているのだ。

虞姫《ぐき》　私、自分には何もわからない、ただあなたを愛することができるだけと考えていましたの。

項羽《こうう》　そなたがものを考えるということが、私には実に不思議だな。ちょうど月や星が、ものを考えるとは思われないように。

虞姫《ぐき》 （ほほ笑む）まだあなたは剣をお外しにならないのね。
項羽《こうう》 忘れていた。しかしそなたに見せるものがそこにあるのだ。
虞姫《ぐき》 私に見せるもの？
項羽《こうう》 （血のりのついた剣を抜き、それをテーブルの上におく）さあ、その血を口づけしておやりなさい。それで本当に葬《ほうむ》ってやることになる。
虞姫《ぐき》 誰にですの？　この血は賊《ぞく》の血ではありませんの？　いやですわ。賊《ぞく》を葬《ほうむ》らなければならないなんて。
項羽《こうう》 私は賊《ぞく》を討ったとはいっていないぞ。
虞姫《ぐき》 それなら……（と項羽の顔色を読み）誰のです？
項羽《こうう》 そなたにはまだわからないのか？　いや、そなたにはもうわかっているはずだ。
虞姫《ぐき》 私に恋した男なんて、何人いるか知れませんわ。私はその中の誰かなんて、当てることはできません。
項羽《こうう》 それは嘘だな。そなたは、私が誰を指しているのかを、もう察しているはずだ。そなたの顔にちゃんと書いてある。そなたに最も強く恋した男であり、そしてそなたから、もっとも多くの愛を受けとっていた果報者《かほう》だ。私はそのことを、首を月明かりに照らしてみた時に、はじめて知ったのだ。
虞姫《ぐき》 あなたは、あの王陵《おうりょう》のことをおっしゃっているのですか？
項羽《こうう》 私からいわれる前に、自分でその名をいってしまって、恥ずかしい気持ちを紛らわすつもりなのだな。そうだ、そなたのいう通り、私はあの男を殺したのだ。というよりも、あの男が自分で私に殺されるようにしたのだ。
虞姫《ぐき》　（顔色を変える）ああ、あなたは……。
項羽《こうう》　なに？　そなたはやはり、あの男を愛していたのか。私よりも！
虞姫《ぐき》　まあ、あなたは何というひどい方！
項羽《こうう》　（怒って立ちあがる）ひどいだと？　ならばあの川へ行って、身を投げてしまったらいいのだ！　やつの死体はあの川に投げ込んでしまったからな。いや、その前に、私を斬りたければ斬ってみるがいい。やつの首を刎《は》ねたこの剣で。（剣を虞姫《ぐき》に突き出す）そなたに斬られれば私も本望だ。しかしどうやっても、私は死なないぞ。
虞姫《ぐき》　（かわいた声で高く笑う）あなたはなんとよくおわかりになる方なのでしょう！　私があの男を憐《あわ》れんだというのは、あの男があまりにかわいそうだったからです。しかもそれはあなたを知る前のことです。あなたは、それを皆知ってらっしゃるのです。あの男は、私に愛されていないことを知りながら、私にあれほど熱く恋していた哀れな男です。その男をあなたに殺されたのを聞いて、私が驚くのが間違っているとおっしゃるの？　（笑う）私がひどいというのは、あなたが邪推《じゃすい》をなさりながら、私をお責めになっていることですわ。そのことが、あなたにはおわかりにならないのですか！
項羽《こうう》　そんな無理な作り笑いは、私には泣き声よりも耳障《ざわ》りだ。私は邪推《じゃすい》などしていない。私はただ、そなたが私を愛してるということを、信じることができないのだ。
虞姫《ぐき》　いいえ、それは嘘です。あなたは確かにそれを信じていらっしゃいますわ。でもあなたは、ご自分

では甚覚悟を
しそ素早く劍を
取り挺く抜く
振り挙そっと
の方正そっと
虞姫の首さ
だく虞姫
悲鳴を上げ
項羽笑子へ
何あ可愛
臆病
者

ではお覚悟を

の愛している者を虐《いじ》めないと、気がおすみにならない方なのです。

項羽《こうう》　私はな、私の為にすべてをなげ出せるような者の愛でなければ、愛とは感じられないのだ。それほど、自分勝手で不幸な男なのだ。自分に対する愛し方と、他の者に対する愛し方がたいして変わらないというのは、私にとって自分よりも他の者がずっと愛されているということに等しいのだ。そんな愛をもらうくらいなら、キッパリ嫌われるほうがはるかにましだ。さあ、その血に口づけをしなさい！　それから後でそれをお拭きなさい。

虞姫《ぐき》　あなたはなんて残酷な方なのでしょう。でもあなたのしろとおっしゃることなら、私何でも喜んでいたしますわ。（布で剣の血を拭く）でも私が、あなたの命令でこの血に口づけすれば、あなたはその後で私の首をお斬りになるおつもりなのでしょう？　ええ、血に飢えてらっしゃるから、あなたは私のこの首をお斬りになりたいのです。わかっていますわ。さあ、お斬りください。

項羽《こうう》　ではお覚悟を。（素早く剣を取って、勢いよく振り下ろし、その剣の腹でそっと虞姫《ぐき》の首をたたく。虞姫《ぐき》、悲鳴をあげる。項羽笑う）はははは、恐がるあなたも可愛いぞ！

虞姫《ぐき》　（項羽の頭にかじりつく）あなただって、私をお殺しになれないくせに。ほんとに殺してあげたいくらい、大好きな暴君。ねえ、もうお気がすんだでしょう？

項羽《こうう》　（笑って虞姫《ぐき》に口づけをする）すみました。（剣を鞘《さや》におさめ）私たちをつないでいる見えない鎖に、こんな人間の剣などが役に立つものか。さあ、そなたが天から降りてきたついでに、地上での婚儀《こんぎ》を急ぎましょう。美と、力との。二つの冠がその頭上に載せられるだろう。

虞姫《ぐき》　（包帯を切るために持ってきた小刀を取り、その切っ先で自分の指先を切って血を出す）さあ、これを吸ってく

項羽《こうう》　ださいな。別々には死なないという印に。

虞姫《ぐき》　（ちょっと考えて、それ吸う。ため息を吐く）「酒を飲み過ぎたのか」と尋《たず》ねないのですか？　私の体からは火が出そうだ。（片手で荒々しく虞姫《ぐき》を抱き寄せ、噛《か》むように口づけをする）

項羽《こうう》　約束を忘れないでください。「一緒に死ぬのだ」という。

虞姫《ぐき》　死がもっとも素晴らしい時に来て、しかもそなたと一緒に死ぬことができたら、私は花嫁をつれて凱旋門《がいせんもん》をくぐる気がするだろう。それはそうと、そなたの支度はできているのか？

項羽《こうう》　もうすでに。「いつでも立てるように用意をしておけ」とあなたがおっしゃったから。では、あなたは今晩私を迎えにいらしたの？

虞姫《ぐき》　私の軍勢は、明朝、彭城《ほうじょう》に向かって出発することになっている。それで気の毒だが、私は今夜中にそなたを連れて行かねばならないのだ。

項羽《こうう》　ああ……。（大きな喜びと、とある悲しみとが同時に湧き上がってくる）どうして気の毒だが、なんておっしゃるの！

虞姫《ぐき》　そなたの心の内がわかるからな。

項羽《こうう》　そんなことをあなたがおっしゃると、皮肉のように聞こえますわ。私は嬉しいのです。嬉し過ぎるのです。

虞姫《ぐき》　しかしお父さまを察してあげてくれというのだろう。そなたの偽《いつわ》りの父を。

項羽《こうう》　あなたはあの方を嫌っていらっしゃる。邪推《じゃすい》してらっしゃるのです。それで、早く私を引き離したいために、私を連れて行こうとなさるのでしょう。

項羽《こうう》　（笑う）私は養父《あのひと》のことなんか、何とも思ってやしない。あれはなかなかよい人だ。私はこれから毎月、養父《あのひと》にいくらか送ってやろうと思っている。だが私は、そなたも私と出会えたのだから、今までの数々の求婚をことわって良かっただろう？

虞姫《ぐき》　ええ、でもあなたが生き甲斐を感じる女は、私以外いないと信じていますわ。

項羽《こうう》　ではもう少ししたら出発するとしようじゃないか。今夜はいい月だ。私のものとなったそなたと、くつわを並べてあの月の下を帰ると思うと、今から胸がおどって仕方がない。何、心配しなくてもいい。あの男を殺した道はもう通らないから。ここへ来る時は、いつも私は急いであの抜け道を通るのだが、もう急ぐ必要ないからな。それに幸せな旅路《たびじ》は長いほどいい。遠回りをして、あの平野を抜けて行こう。そなたは人生の快楽というものを知っているか？　それは愛する者と二人で、月夜に森や野原をさまようことだ。照らしている月は、その二人がどんなに幸せでも、祝うことはないが嫉妬もしないものだ。

虞姫《ぐき》　ああ、私、魔法の調べを聞いている心持ちがしますわ。生と死の二重奏のような。なんか私はその快い響きに酔って、のぼせて気が遠くなるような気がします。でも私は嬉し過ぎてじっとしていられませんわ。（興奮してちょっと部屋の中を踊《おど》り回る。やがて項羽のところに戻ってきて、その胸にもたれる）

項羽《こうう》　……泣いているのか。かわいそうに。（その目に口づけをする）

間。人の近づく音。虞姫《ぐき》、ビクッとして項羽から離れる。義父、登場。

養父　おめでとう、二人とも。そしてあなたが怪我をされたことも。さあ、あちらに夕食の仕度《したく》ができています。それから温かい寝床も用意しています。ただその前に、わしはちょっとあなたに話したいことがあるのです。それは他でもない、あなたに推薦したい人が一人いるのです。范増《はんぞう》という老人なのですが。

項羽《こうう》　いや、ありがとう。ですが、私は今夜にも帰らなければならないのです。

養父　(うなだれる。虞姫《ぐき》に）そしてお前も行くのか？

虞姫《ぐき》　お父さま。

養父　……そうか。それは結構なことだ。（項羽に）わしはもう別にいうことはない。ただ一言いいたいのは、あなたの力に気をおつけなさいということです。それは、あなたの内にあるあなた以上の力にお気をおつけなさい、というのも同じなのですが。あなたを動かしている自信が、殺すべき者を殺し、活《い》かすべきものを活《い》かすということを誤らせなかったなら、あなたはきっと最後の勝利を得るでしょう。（虞姫《ぐき》に）それからお前は、わしのことは心配するに及ばないぞ。ただ時々、わしのことを思い出してくれ。幸せにな。

項羽、去る。

養父　（虞姫《ぐき》に）お前も行くがいい。

虞姫《ぐき》　（養父を抱く）お父さま。私をお許しください。（泣きながら退場）

養父　ああ、あの娘《こ》は行ってしまうのか。わしのただ一つの幸せが。わしの人生が。しかしそのために、わしのよりも、大きく力強い人生と幸福が生まれるというのなら、わしはそれに甘んじるより他はない。どれ、わしは二人の運命の門出の盃《さかずき》に、祝いの酒を注いでやろう。二人を祝福するよりほかに、わしの生きる道はないのだ。（退場）

（幕）

第2場　沛《はい》県にある劉邦《りゅうほう》の館

劉邦《りゅうほう》とその妃《きさき》、呂妃《りょひ》。呂妃《りょひ》は赤ん坊を抱いている。劉邦《りゅうほう》は髭《ひげ》をたくわえていて、実際よりも年上に見える。髭《ひげ》をなでて考えながらものをいう癖がある。テーブルの上には、出陣祝いの酒と杯が置かれている。

呂妃《りょひ》　あの人にお会いになったら、はじめに何とおっしゃるおつもりですの。

劉邦《りゅうほう》　「あなたを尊敬していて、ささやかながらお力添えをさせていただきに参りました」とでもいってやるつもりだ。

呂妃《りょひ》　(酒を盃《さかずき》にそそぐ) そうね、何でもおだててやるに限りますわ。あなたを尊敬しているといっておだててさえやれば、気に入るそうですから。

劉邦《りゅうほう》　(酒をあおる) いや、あながち嘘のお世辞ではない。彼を尊敬するということ自体、俺にできないことではないぞ。第一、自分のいやしい手段のために、実際よりも相手をおだて上げたり下げたりするとか、そんな卑劣なまねをするなんて。俺はもっと自分を大切にしているよ。もし俺が彼をうまくおだてて、自分の罠《わな》に引き込むことに成功したとしても、俺はそんなことをしたために、彼に負けたことになってしまう。そういう見苦しい敗北は、戦争で負けるよりもはるかに恥ずべきことだということを、お前も知らないはずはなかろう。

呂妃《りょひ》　けれど今時、正直にしていたら、殺されるに決まっています。その人の価値が大きければ大きいほど、正直は危険なのです。それにあなたのご性格は、あまりに正直過ぎるのです。だから私は心配するのです。あなたは小さなところでも公明さを欠くことができないくらい、大きな徳をお持ちです。でも何よりもあなたがしなければならないのは、その大きな徳をすべての民にお届けになることです。ちっぽけなところで、ご自分を潔白にしておくことではありませんからね。それをよくわかっていらしてください。馬鹿を見るということは、目先の利益のために人をだますことよりも、いくらか上品でしょう。けれども、善良でいながらも相手の裏をかくことのできるかしこさと比べれば、ずっとつまらないものですわ。聡明な方に向かって、こんな説教めいたことをいうなんて、ずいぶん馬鹿にしているとお思いになるでしょう。でも、これもあなたへの愛情のあまりのことだと思って、お許しくださいませ。そしてどうか、あなたの善良な性質にお気をつけください。本当にあなたは、それにさえ気をつけて下されば……。私はどんなに安心するでしょう。

劉邦《りゅうほう》　(笑う) そんな心配はいらないぞ。なるほど、俺は善良な男というものなのかもしれないな。しかし人間の善良さなんていうものは、つまるところ程度の問題だからな。善人であると同時に悪人というのは、いくらでもいるものだよ。むろん俺は自分の知恵を、できるだけいいことに利用しようとは思うが、そのために自分の使命を犠牲にしようとは思わないさ。俺にとっての最高の善は、俺の使命を果たすところにあるのだからな。

呂妃《りょひ》　そうおっしゃるなら、私はとても安心できますわ。

劉邦《りゅうほう》　それに、俺が項羽のところに行くのは、何も彼が俺よりも賢いからではない。俺の時機がまだ来ていないからだ。そして俺が生きるのびるためには、今のところそれよりほかに安全な道はないからだ。それだけじゃない、俺は彼の性格を愛することができるんだよ。彼には他にないものがある。ちょうど彼が持っていないものを、俺が持っているように。彼には真の英雄でなければそなえていない熱情がある。少なくとも俺はその点で、彼を尊敬することができる。熱情を持つ人間は、よく誤解をうけることがあるが、彼もそうだ。やれ昔の英雄を気取っているとか、始皇帝の真似をして荒々しくしてみたり、むやみにいばりたがっているなどの悪評もある。でも何といっても、今の時代を見て、「この人は」と思える人物といったら、あの項羽のほかにはいないのだからな。そんなわけで、俺は彼のところに行くのは、楽しみでもあるのだ。俺は、実力があって、

呂妃《りょひ》　俺のことを理解してくれる友に飢えているんだ。
あなたがそのような好意をお持ちになるのは、あなたのためにはよいことなのでしょう。でもあの人はあなたの価値を認めているのでしょうか？

劉邦《りゅうほう》　多分、内心ではわりと認めているだろうよ。表にそれを出すことはなかろうが。

呂妃《りょひ》　けれども、あの人は恐ろしく自信にあふれた人だというではありませんか？

劉邦《りゅうほう》　自信が大きすぎて、恥ずかしいというほどでもないだろう。何といってもまだ若いのだからな。

しかし恐ろしいのは彼の自信ではない。彼の運命だ。

呂妃《りょひ》　運命。本当に。だからあなたは、あの人に大き過ぎるうぬぼれを、うんと持たせることが必要です。そして、その間に……。（急におそろしくなって）だけど、もしその前に、あなたがあの会稽《かいけい》の太守の二の舞になったりはしないかと、私は心配で……。（劉邦《りゅうほう》の手にすがる）

劉邦《りゅうほう》　といったところで、今、項羽と結んでおかなければ、俺の運命はもっと危険になるからな。だがうわさによると、彼はこんど范増《はんぞう》という有名な軍師を迎えたらしい。これはなかなか知恵のある男らしい。もし項羽が俺を殺そうとしたら、その范増《はんぞう》が「それは得にならない」と項羽を説得するに違いないと俺は思うのだ。俺はまだ項羽よりも勢力的には弱いが、人望の面では勝っているからな。

呂妃《りょひ》　当然です。あなたは民に推《お》されて沛公《はいこう》になったくらいですから。

劉邦《りゅうほう》　だから、今、俺を殺すと、民の反感を買うことになって、彼らが目的を達するには大きな障害になってしまうということを、范増《はんぞう》が主張するだろうと思う。今のうちは、俺を仲間に引き入れて、俺の持っている人望を利用するほうが得だというに違いないのだ。項羽にだって、そのくらいのことはわかるだろう。しかし范増《はんぞう》がいなかったら、俺はこんなに早く彼につく決心をしなかったろうよ。

呂妃《りょひ》　当分の間なら、それはいいかも知れませんね。けれど、あの人たちが秦《しん》を亡ぼしてしまって、天下の実権を握るようになったら——それが何だかそう遠いことではない気が、私にはしますけど——そうなったら、あなたの人望なんか借りる必要がなくなってしまうでしょう。その時はどうでしょう?

劉邦《りゅうほう》　そりゃ俺の命は危なくはなるさ。いよいよな。だからそれまでの間に、うんと勉強して自分の力をつけるつもりだ。そして、その徳によって少しずつ優れた人材をかき集め、いつでも彼から独立して、対抗できるように準備しなければならないのだ。

呂妃《りょひ》　それも秘密のうちにね。そう、あなたがそこまで成長できれば、もう大丈夫になるでしょう。けれど、あの人があなたをそこまで待ってくれるかが心配です。それにそばに范増《はんぞう》などという知恵者がいるなら、あなたがこの先どれだけの人物になるかぐらい、見抜けないはずありません。こうなると、范増《はんぞう》という人がむこうにいることは、今のあなたにとって都合がいいだけで、のちのあなたにとってはおそらく都合が悪くなることは明らかですわ。今あなたを生かしておけと主張する人は、やがてあなたを殺せとすすめる人にちがいありません。その時は……。

劉邦《りゅうほう》　うむ。しかしその時こそ、俺がどのくらいの力を持っている人間かということが、はじめて人にも知られるのだろうし、自分にもわかるだろう。俺は、自分が龍であるかを確かめなければ、虎に近づこうとは思わない。そして俺は自分が龍であることを知る機会を、おそれと楽しみの両方をかかえながら期待しているのだ。俺の真価と実力の上にいつもかぶせているベールが、荒々しい運命の合図によって剥《は》がされて、それが露《あら》わになった時の感じ——それがどんなものかを知りたいのだ。

呂妃《りょひ》　それはとてもおそろしい時でもありますわ。あなたは運悪く王になりそこねて殺されるか、さもなければ、うまくいって最後の王冠を手に入れるか、二つのうち、どちらかを選ぶように運命づけられていると、おっしゃったことがありましたね。

劉邦《りゅうほう》　そうだ。俺は自分の内側から、そう運命づけられている気がする。殺されるか、手に入れるか、なのだ。そのどちらでもない、何もしないことに安住することは、内なる俺の運命が許さないのだ。だから俺は、この運命から羊のように逃げようとは思わない。項羽がもし虎のように俺に戦いを挑んできたならば、俺は龍のようにそれをむかえ討ってやろう。

呂妃《りょひ》　それなら近いうちに、あなたとあの人との勝負になることは避けられませんね。どうしても一つのものを二人で奪い合わなければならないように、運命が決めてしまっているのですから。今や秦《しん》などとは名ばかりで、図体だけ大きい、老いた半死《はんし》の病人です。死が全身に行きわたるのに、しばらく時間がかかっているだけです。その時間も過ぎると、あの人のライバルといえば、結局あなたのほかにいなくなるに決まっています。あなたの相手になる人といったって、あの項羽のほかにいるわけありません。その二つの運命のにらみ合いは、あなた方の力が増すにしたがって、だんだん激しくなるでしょう。そして、その二つの大きな力強い生命の競《せ》りあいが頂点に達した

劉邦《りゅうほう》　時、……ああ、私はそのことを思うとおそろしくなります。あなたのために祈らずにはいられません。どうにかして秦《しん》がねばって、あの人の力をうんとすり減らしてくれるといいのですけれど。先へ行くにしたがって、俺はずいぶんつらい目にあって、苦しまなければならないことも覚悟している。俺は石にかじりついても、運命を切り抜けるために、普通の人間には耐えられないだろう屈辱を、じっと耐えしのばなければならないときもあるだろう。そしての俺の命運が、何回も危うい場面にさらされることもあるだろう。しかし天命が俺を捨てない限り、俺はそんな目にあうたびに、それを天が自分に与えためぐみだと思って自分の力を錬《ね》り、自分を強くしていくだろう。それを思うとおそろしくもあるが、また楽しみでもある。とにかく俺は運を天に任せて、自分にやれるだけのことをやるばかりだ。

呂妃《りょひ》　私はこの子と二人きりで、これからはどんなに心細いでしょう。心配になるでしょう。それでも私はあなたを信じていますわ。あなたの運命を信じていますわ。

劉邦《りゅうほう》　そう思っていてくれ。俺と運命を結んだことを、分別なく恨むなよ。そして希望を持っていてくれ。なあに、運命を恐れてばかりで、気力がくじけてしまってもしかたがないさ。昔の賢人もいっている。「弱者を弱者たらしめているものが、強者を強者たらしめる」と。なあ、俺はお前が思うよりも、もうちょっと自分の運命に自信があるんだ。だから俺は自分に向かってくる運命が、うんと激しいものであったほうがいいと思っている。それは結局こちらの力を強くすることになるからだ。

呂妃《りょひ》　でもあなたは、あの項羽なんかとは、まるで性質が違ってらっしゃるのですからね。

あの方はあんなに民から愛されているのだ

樊噲《はんかい》 もう準備はすっかり整っております。いつでも出発できます。

劉邦《りゅうほう》 そうか。では日の暮れない内に。(立ち上がる)

呂妃《りょひ》 ではいよいよ。

劉邦《りゅうほう》と呂妃《りょひ》、強く抱きあう。長い口づけ。次に劉邦《りゅうほう》はその子供を抱いて口づけし、目をつぶり誓う。

劉邦《りゅうほう》 どうか、どうか元気に育ってくれよ。俺は誓うぞ。お前が「何のために生まれてきたのだ」と天を呪うような目に決して遭わせないと。そしてこの父を継いで、やがてお前がその椅子に座る時、生まれたことを天に感謝するようにさせてやるぞ。(再び子供を呂妃《りょひ》に渡し) では、俺がお前たちを咸陽《かんよう》に呼びよせ、迎える日まで、しばしこれでお別れだ。それまで待っていてくれよ。しっかり大事にしてな。

呂妃《りょひ》 あなたも。ご成功を、きっと。

劉邦《りゅうほう》 うむ。それはお前が思うほど遠いことではあるまい。(去る)

呂妃《りょひ》、泣く。

樊噲《はんかい》 奥方さま。ご安心ください。この私がおつき申しております。(懐剣を取り出す) 閣下よりお預りしたこの剣を。おそらく役立てる必要はないだろうと思っておりますが。

呂妃《りょひ》　手ぬかりをしないようにね。きっとだよ。いいかい。頼んだよ。

樊噲《はんかい》　この首にかけて閣下のご安全をお守りいたします。では、これで失礼いたします。（退場）

呂妃《りょひ》　ああ、これが最後になるのじゃないだろうか？　こんな時に首をかけて誓われても、何のあてになるものか。とはいっても、あの樊噲《はんかい》がついていてくれるので、いくらか安心もできるけれど、この子さえいなければ、……本当に私たちは子を持つのではなかった。（窓際《まどぎわ》に行く。「劉邦《りゅうほう》ばんざい」という声が聞こえる）何と大勢の人だろう。老人も、女も、子供も……皆泣いたり、わめいたりして、あの方をお見送りにきたのだ。あの方はあんなに民から愛されているのだ。ああ、こちらをお向きになった。何という優しいお顔をしていらっしゃるのだろう。あのお顔が心配なのだ。（片手に赤子を抱きながらハンカチを振る）ああ、また旗の陰に隠れておしまいになった。とうとういってしまわれる。（赤子を抱きしめ、顔をうずめながら涙に暮れる）

（幕）

第3場

彭城《ほうじょう》におかれた楚《そ》軍の本営

正面に陣幕が左右に張られ、はるか遠くに曲がりくねる瀟河《しょうが》が金色に光って見える。陣幕の前には護衛の兵士が警備で立っている。陣幕の内側では、中央には大きなテーブルが置かれ、そのまわりにいくつかの椅子。右手の壁には地図、左手および正面には大きな青い旗が二つ三つ立てかけてある。その他兜《かぶと》、剣や槍、矛《ほこ》などの武器がおかれている。床には虎の皮が敷かれている。項梁《こうりょう》と范増《はんぞう》が連れだって出てくる。范増《はんぞう》は白髪の老人。

項梁《こうりょう》　とにかく、あなたに来ていただくことができたのは、我々にとって百万の兵を得るよりもはるかに大きな幸運だ、と声を大にしていいたいのです。いってみれば、七の力を持っている戦士が知恵もつけたら、十の力を持っていても考える力のない戦士ならば負かせてしまうようなものです。これで味方に本当の強さが出てくるというものです。私たちもようやくこれでひと安心です。（椅子にかけながら）どうぞ。

范増《はんぞう》　（ともに腰をかける）それではまるで、陸の上で干《ひ》からびて死にかかっていた魚を水へ放して助けた人が、その魚に礼をいうようなものですよ。私は、山の中で枯れ木同然に、朽ち果てるのを待っていたのですが、運命は私に、このまま犬死にすることを望まなかったと見えます。あなた方のお招きは、この齢《よわい》になったよぼよぼの私をもう一度、いや、生まれてはじめての表舞台へのお目見得《めみえ》だったのです。私はいわば、七十になってはじめてこの世に生まれたようなものです。私の方こそ、礼を申し上げなければなりません。どうせ老い先短い身ですが、精魂の続く限り、この身を粉にしてお仕えするつもりです。ですが、項羽どのは本当に喜んでおいでなのでしょうか？

項梁《こうりょう》 あなたの加勢をですか？　いうまでもありません。もっともあなたをお招きするまでは、「誰でもいい」みたいなことをいっておりましたが。……だいたいあの男は、自分のほうから人にものを頼むということが、何よりも嫌いな性分なもので……しかしあなたをひと目見てからは……。それにもともとこの話は、彼の妻の養父から出た話なのですから。

范増《はんぞう》 （笑って）いや、ああいう独立心の強い方は、とかくご自分の使命に関することは、何から何までご自分の手ひとつでなさらないとお気に召さないものですから。普通の将軍のように、ただ自分の都合さえよくなれば何でもいいという連中とは違います。しかし私は、むしろ項羽どののその心に惚れ込んで……いや、敬服しているので。それでこそ私もお仕え甲斐があるというものです。

項梁《こうりょう》 （少しいやな顔をする）何しろ恐ろしくわがままなやつですから、一緒に仕事をしていくものは、時には本当におもしろくないこともあろうと思いますが。なあに、ドシドシ遠慮なくご指導していただかないと、あいつ自身のためばかりでなく、私たちのためにも、ひいては天下のためにもなりません。いずれにせよ、あいつ一人の意志にしたがって成長させる必要はないのですから。

范増《はんぞう》 あなたがいらっしゃることは、私にとっても非常に都合がいいというものです。あの方もあなたのご意見だけはお聞きになるようですから。

項梁《こうりょう》 （満足げに）それは私のほうがあいつのいうことをたくさん聞いてやっているからです。（間）小さい時からちょっと変わったやつで、読み書きを教えてやったときのことです。あいつは、「そんなものは学ぶ必要はない、自分は書記や大臣になるのではないから、ただ自分の名前を署名することができればそれでいい」というのです。それでは剣術を教えてやろうというと、「そんなものはなおさら習う必要はない。剣は一人の敵しかたおせない。自分は万人の戦《いくさ》を学ぶのだ。しかしそれも先人の兵法によるのではない。すべて自分自身のやり方で」というのです。ははは。そしてあれは始皇帝のように、自分の家にあった数千部の兵法書を、「皆不要なものだ」といって焼き捨ててしまいました。そう。あいつが十二、三の時でした。

范増《はんぞう》　（幕の間に見える遠くを見て）ちょっと向こうをご覧なさい。遠くに何か見えはしませんか？　私の老眼ではよくわかりませんが。

項梁《こうりょう》　（そのほうを見る）夕日があたっているので、あの旗の色が、茶色か赤かよくわからないが……、陣立ての様子からはちょっと英布《えいふ》のに似ているな。しかし英布《えいふ》が今頃あんなところにいるはずがないのだが。

范増《はんぞう》　英布《えいふ》といえば、あの男が参加しているのは、非常に喜ばしいことです。あれは味方の宝です。私も、もしあなたがあの英布《えいふ》をまだお召しになっておらなかったら、ぜひあれをお召しになるようにおすすめしようと思っていたのです。

項梁《こうりょう》　あの男も、ひょんなことで味方に加わることになったのです。まあ天の与えてくれた幸運ですね。その時、味方の兵はまだ三万くらいしかいなかったのですが、そこへ英布《えいふ》がその倍以上の兵をつれて参加してきたのです。私が思うに、英布《えいふ》はそうやって私たちの様子をうかがいにきたのでしょう。で、ことによったら私たちをその場で亡ぼしてしまって、その兵を奪うつもりだったらしいのです。私は項羽に出迎えるようにすすめたのですが、項羽はあの男が召集の時間に遅れたことにひどく腹を立ててしまって、我々の軍の一番後ろにつくようにいいつけたのです。私は無茶なことをすると思いましたが、なんとその無茶があの英布《えいふ》を服従させることになってしまったのです。それからは彼は味方の強い家来になったのです。まあ運よく英布《えいふ》が、そんなことに感心したからよかったようなものの、怒りでもしようものなら、それこそどんなことになったか知れません。

範増《はんぞう》　いくら強くても、人の下につくように生まれついた者は、上に立つように生まれついた者にはかなわないものです。

項梁《こうりょう》　兵を挙げたときがよかったのか、今までのところ、私たちは非常な幸運に守られているという気がします。会稽《かいけい》で殷通《いんつう》を斬ってから、まだ二ヶ月しか経つか経たないかですのに、もうかれこれ二十万に余る兵と、得がたい素晴らしい将軍たちを手に入れることになったのですから。そして今度はあなたにも来ていただくことができたのです。まったく、こんな風にうまく行くなんて思いがけないことでした。

範増《はんぞう》　いや、運がいいか悪いかは終わりまでやって見なくてはわかりませんよ。すべてはこれからです。何にしろ、早くあの跡継ぎの王子が見つからないことには、味方の名分《めいぶん》がはっきりしません。そうなると、何かにつけて私たちに不利となってしまうのです。

項梁《こうりょう》　実はそのことであなたとご相談しようと思っていたのですが、項羽はそのことをあまり喜んでは

今日は私の大切な鷹を死なせてしまった

范増《はんぞう》　いないのです。ごもっともなことです。しかしその名分《めいぶん》が必要なのは、しばらくの間だけのことです。実際、王子だといっても、まだ世間をしらない若者ですし、どうせ実権はしっかりこっちのものなのですから。あの短い天下に終わった陳勝がしくじったのは、この手段によらなかったというところですからね。

項梁《こうりょう》　無論、私はそのことをいったのです。しかしあいつは、「では軍を自分と二分しよう。そしてあなたのほうにその王子を立てるがよかろう。(范増《はんぞう》を指して)彼も含めてすべてあなたのほうにやる。自分は一人でいいから」というのです。もっともあいつは私を慕《した》っているので、いつもはずっと私と一緒に仕事がしたいとまでいっているのです。が、何か気にくわないことでもあると、すぐにへそを曲げて、「いつでも私とわかれる」などと、たびたびいい出すのです。あいつはそれを、別にたいしたことだとも思っていないのです。昨日は、ちょうど言い合っているところに、妻の虞姫《ぐき》が入ってきて、なんとかあいつをなだめたのです。で、結局、今朝はまた「私の思うようにするほうがいい」などといっていました。

范増《はんぞう》　しっ。お見えになりました。

項羽、虞姫《ぐき》とともに馬に乗って陣幕の手前まで進み、馬から下りる。警備兵二人、気をつけをする。范増《はんぞう》も立ち上がり、二人を迎える。項羽は虞姫《ぐき》を伴って登場する。虞姫《ぐき》は鷹狩りに使う鷹をとまらせている。

項梁《こうりょう》　おかえり。狩りはどうだったね？

項羽《こうう》　（軽く会釈をして椅子に座りながら）けしからんことに、今日は私の大切な鷹を死なせてしまった。

虞姫《ぐき》　今日はいつになく獲物がいませんでしたの。それで帰りかけようとしていると、私のこの鷹が一匹の子ギツネを草むらにいるのを見つけ出して、それを追いかけたのです。すると項羽さまの親鷹が、まるで怒ったようにそこに飛んで行って、この鷹をおどしつけてその子ギツネを奪い取ってしまいました。

項羽《こうう》　鷹というやつは、自分の獲物を主人のところに持ってくる前に、成果を誇るために高く飛び上がるものなのですよ。それであの親鷹がその子ギツネをくわえて高くこちらへ飛んでくるときに、そいつが油断したのを狙って、だしぬけにこの鷹が、後ろから矢のようにその頭を一突きに突き殺したんです。復しゅうをしたわけです。

虞姫《ぐき》　もし私がお止めしなかったら、この鷹はお仕置きにあって殺されるところでした。あの親鷹は、項羽さまがそれはそれは大切になさっていたのですからね。でもあの鷹は強いのをいいことに、いつも威張っていて、その罰が当たったんですわ。

項羽《こうう》　威張り過ぎた罰ではないぞ。油断し過ぎた罰だ。ところで鐘離昧《しょうりまい》は帰ってきてませんか？

項梁《こうりょう》　いや、まだ帰ってきていない。

項羽《こうう》　早く連れて帰ってくるといいんだが。

虞姫《ぐき》。項羽に「また後で」と目で合図し、右手に退場。

項梁《こうりょう》　昨夜とは、ずいぶん話がちがうじゃないか？
項羽《こうう》　いや、私が王の冠を授けようと思うのですよ。私がその王子に位を与えようと思うのです。懐王という称号で。
項梁《こうりょう》　お前がか？
項羽《こうう》　ええ。そうすれば軍を二分することもなくなるでしょう。まあ、私のそばにおいてやりましょう。
項梁《こうりょう》　しかし、私はお前の叔父だからなあ。
項羽《こうう》　ええ、分家のですが。ですが、私は本家の嫡男《ちゃくなん》です。私にとってはどうでもいいことなのですが、「王子を立てる」が名分《めいぶん》ならば、他のこともそれにならうのが当然でしょう。
范増《はんぞう》　ちょっとお待ちください。あなたはそんな下らないことで争われることを、ばかばかしいとはお考えにならないのですか？
項羽《こうう》　いや、私は争ったりはしてないぞ。誰とも。私はただ、こうすると決めただけだ。それに対して、叔父どのが反対を唱えただけのことだ。しかしそうはいっても叔父どのは、私の功績と私に対して負っているいろんな恩義を、まさか忘れてはいないと思うのだが。ちょっと私は汗をふいてくる。（退場）
范増《はんぞう》　（苦笑して）どこまでも無邪気さを失わない方ですね。位を授ける者は、位を受ける者よりは偉いのだ、ということがお気に召したのでしょうね。しかしそういうところが、あの方の頼もしいところです。
項梁《こうりょう》　無邪気！　そんなことをいったら項羽は怒るでしょうな。しかしあいつはきっとそれだけじゃ済まないので、見ておいてください。あいつはきっと今、汗を拭きながら、もう逆のことを考えているでしょう。少なくとも今はもう、そんなことどっちでもいいと思っているんですよ。位を王子に授ける者が、私であろうと自分であろうと。あいつは、一時は何とかいっていても、すぐにまた気が変わってしまって、だいたいのことはどっちでもいいとかいうようなやつですから。私はあなたよりもあいつの性格をよくわかっておりますよ。

項梁《こうりょう》　ということは、このことはどの道たいした問題ではなさそうですね。ならば、これはあの方にお任せになってはいかがです？　あの方は、思うに運命を自分にまかせてくるような弱い者に対しては、異常なくらいに優しくおなりになる方なのでしょう。となれば、そうすることが味方の平和のために、何よりもよいことであろうと思うのです。

范増《はんぞう》　ふむ、あいつがわがままを我慢できないで、何かといってくるやり方は、いつもその場限りのものばかりなのです。あいつは自分に頼ってくる連中を守ってやるという感覚が好きなのです。しかし、その連中自体を愛することなんて、できやしないのですよ。

項羽、服を着替えて機嫌よく登場。

項梁《こうりょう》　范増《はんぞう》、あそこに来るあの軍勢に気がついたか？　俺が思うにあれはたぶん、劉邦《りゅうほう》の軍だ。

范増《はんぞう》　(そちらを見て)大分近づいてきましたな。私もそうではないかと思っておりました。劉邦《りゅうほう》のほかに、あんな大軍を持っている者はいないはずです。

項梁《こうりょう》 雪だるまが転がり出すと、大きくなるにしたがって、それまで以上にたくさんの雪がくっついてくるようなものだな。

項羽《こうう》 今度はあいつが来る番だとは思っていたが、少しくっついて来るのが多すぎるな。

項梁《こうりょう》 しかし、転がっていく我らの勢いが強いのだから、それも邪魔にはなるまいよ。

項羽《こうう》 (髭をひねりながらうろうろする)私にはそういう数ばかりに依存するような勢力は欲しくないのだが……、しかし勝手にくっついてくる者ならくっつけておいてもいいか。まあそれは私の知ったことじゃない。

項梁《こうりょう》 (項羽には聞こえないように)ふん、そんなことをいって。くっついて来なければ来ないで、お前は怒るくせに。

范増《はんぞう》 いや、他の者と違って、あの劉邦《りゅうほう》だけは味方につけておかれたほうが得策《とくさく》です。少しでも見込みのある者は、自分の側《そば》において、その長所をすっかりこちらが吸い取ってしまうに限ります。そうすれば先々、もしその男が謀反《むほん》をしてもその裏をかくことができるのですから。

項羽《こうう》 そういうやり方は俺の性にはあわないな。どちらかといえば、むしろ頭のあるやつは、なるべく敵にまわすほうを俺は選びたい。しかし、まあそんなことはどうでもいいさ。それはそうと叔父さん。さっきのことですが、あなたが自分で「冠を授けたい」というのならどうぞ。私は別に反対はしませんよ。どうせそんなことなど、私には大して関係もないことなので。

項梁《こうりょう》と范増《はんぞう》は顔を見合わす。項羽はそれをにらみ、不愉快な様子を見せる。

項羽《こうう》　私は、今日は少し気分が悪いから、人に会うのはよそう。後で彼らが来たらそういってくれ。

項梁《こうりょう》　何、会わないだと？

項羽、退場。沈黙。

范増《はんぞう》　まったく、一つの仕事を一緒にやっていくのがやりにくいお方だ。ああいうお方は、一生、しなくてもいいような損をしていくのでしょうな。

項梁《こうりょう》　あいつがなんで腹を立てているのか、傍らにいる人間だれにもわからないことはよくありますよ。なあに、じき機嫌をなおしますよ。あいつは人を疑ったり、腹を立てたりすることは恥だと思っているのですから。(間) しかしあいつは、いったんああやって折れても、結局はなんだかんだといいながら、自分の思い通りに押し通してしまうのです。自分ではそのつもりじゃなくても。

沈黙。兵士登場。

兵士　鐘離昧《しょうりまい》将軍がお戻りになりました。

項梁《こうりょう》　なに！　戻った？

范増《はんぞう》　一人で？

士卒　はい。もうおいでになりました。

鐘離昧《しょうりまい》、登場。拱手《こうしゅ》の礼をする。兵士退場。

鐘離昧《しょうりまい》　(息を切らして) ただいま帰りました。

項梁《こうりょう》　ご苦労だった。で、王子は？

鐘離昧《しょうりまい》　お見つけいたしました！

項梁《こうりょう》　(喜び) 見つかった？　それでどこに？

鐘離昧《しょうりまい》　途中までお連れ申し上げましたが、そこで、我々に従うために進軍してきた劉邦《りゅうほう》の軍に出会いまして。それで、彼らと一緒にこちらに参ることにいたしました。

范増《はんぞう》　それでは、あそこの赤い旗を立てている軍の中で、ひときわ輝いてみえる錦の御旗《みはた》が、そのお方の場所ということですか？

鐘離昧《しょうりまい》　そうです。あの真ん中に、金箔の御輿《おこし》にお乗りになって、劉邦《りゅうほう》も自ら護衛をしながらまいりますのがそれです。何しろ非常な軍勢なので驚きました。少なくとも七、八万はゆうにおります。もうそろそろお着きになる時分ですが、私だけ一足先に馬を飛ばして、お知らせに参りました。

項梁《こうりょう》　では早速ここを片づけて、お迎えする用意をしなければならない。(退場)

范増《はんぞう》　あなたはこのことを項羽さまに申し上げてください。(鐘離昧《しょうりまい》、退場) 私には私の仕事がある。まずは劉邦《りゅうほう》を観察せねば。

范増《はんぞう》は正面の陣幕の間から外に出ていく。大勢の兵士が出てきてテーブルを運び去り、椅子をわきに片づけ、右手に一段高い席を作る。

兵士一　（働きながら）だが、あのムラッ気な項羽さまが、王子をお迎えになるというのも変な話だよな。

兵士二　（同じく）何か深い理由があるのだろうよ。なんでもあの賢者、范増《はんぞう》さまのご提案というじゃないか。

兵士三　（同じく）そのために、一時かなりもめたらしいぞ。しかし今度来た、あの劉邦《りゅうほう》というのはすごい人らしいぞ。

兵士四　（同じく）なんでも亡蕩山《ぼうとうざん》ってところで白い大蛇を斬って、大勢の人を救った人らしいな。

兵士五　（同じく）それにまた近頃は、沛《はい》県の住民に推されてそこの太守になったもので、沛《はい》公と呼ばれるようになっているようだぞ。なんでも、もとの太守もそこまで悪くはなかったらしいが、そこの住民らがあの人に代わってもらうために、その太守を暗殺してしまったほどだとか。

兵士一　そんなひどいことをするから、またすぐに、その劉邦《りゅうほう》に逃げられてしまったわけだな。

兵士二　おい。これはこんな風でいいのだろうな？

兵士三　閣下がおいでになったから、うかがってみよう。

項梁《こうりょう》、礼服に着替え、英布《えいふ》、鐘離昧《しょうりまい》、季布、桓楚《かんそ》、于英《うえい》らの将軍を従えて登場。

兵士二　（項梁《こうりょう》に）このような感じでよろしいでしょうか？

項梁《こうりょう》　（見まわして）よろしい。下がれ。

兵士一同退場。軍鼓《ぐんこ》、および鎧《よろい》の音が聞こえる。

項梁《こうりょう》 （将軍らに）さ、諸君らはそこに整列しておきたまえ。急げ。私は出迎えにいく。

正面の幕の間から、一同出ていく。幕の間から整列している将軍らの姿が垣間見える。舞台上、一時空。音楽始まる。やがて項梁《こうりょう》を先頭に、王子、その次に劉邦《りゅうほう》、続いて樊噲《はんかい》などがきらびやかに登場。幕の外に整列していた将軍らは、抜いた剣の切っ先を地面に向けて敬礼をする。王子は十七、八の爽《さわ》やかで気品ある容姿。

項梁《こうりょう》 （へりくだって）こんなむさ苦しいところへお迎え申して、恐縮でございます。行動中の陣内でございますので、身の回りことまで構っている余裕がないのだと思し召しください。さあ、どうぞこれへ。（右手の高座に王子を導く。王子、そこに座る。次に劉邦《りゅうほう》に）あなたが、遠路はるばるご参集いただいたことについては、後ほど改めてお礼を申し上げたく存じます。今はとにかくこちらへ。

（劉邦《りゅうほう》、挨拶して正面の高座に就く）

范増《はんぞう》は劉邦《りゅうほう》の部下をそれぞれの席につかす。劉邦《りゅうほう》は范増《はんぞう》の動作をしばし注視する。陣幕の外に整列した味方の将軍らも次々と入場し、全員がそこに居並んだときに音楽がやむ。

項梁《こうりょう》 （王子の側近く、劉邦《りゅうほう》に向かって座り）今日がこんな素晴らしい日になるとは、まったく思いもよりませんでした。これまでずっと願っていたことがかないました。その上、あなたのようにご高名な名将をお迎えできるとは。私たちにはこれ以上の喜びはないでしょう。大樹が一日にして根を深く張り、幹を太くし、その上に花をつけたようなものです。この喜びを分かち合いたいのは、長い間秦《しん》に踏みつけられていた楚《そ》国の人ばかりではないと思います。

王子　大きな宿願の一つがかなって喜んでいるのは、私も同じです。

劉邦《りゅうほう》　私もでございます。

項梁《こうりょう》　皆の喜びが一つになったということが、何よりもめでたいのです。これで殿下が、皆の上に輝く明星のようにおわして導いて下されば、私たちのなすことが、すべて正義にかなったものであるということを明らかにできます。それと同時に、私たちもその立派な美しい名に背くまいとして、各々正義を重んずる気持ちが、ますます強くなることと思います。どんな人間でも、正義や義務などの信念が心の真ん中にはっきりしていないうちは、本当の勇気も本当の強さも持てません。私利私欲というものは、人々を分裂させてしまうものですが、この正義の心はそうしたものを乗り越えて、皆を団結させる力のあるものです。しかもこの団結力ほど、人々を強くするものはないのです。これからは、たとえ何十万の将兵がいようとも、皆は心を一つにして、正義のために悪逆非道と戦い、向かうところ敵なしになることでしょう。

王子　(喜びを隠せず) 私は今、希望を捨てることこそ、一番愚かなことだと感じています。私は何度それを捨てようとしたかわかりません。しかし、何かが私に「いけない」とささやいて、そうすることを止《とど》めていたのです。私は今になって、その声に感謝せずにいられない。昨日まで、私は自

図らずも、殿下をお見つけ申したときの喜びは

分ほどこの世に不幸な者はないような気がしていた。その気持ちが私に染みついてしまったので、今にわかにこんなに嬉しいことがあっても、何だかまだだまされているような気がして、これもまた何かの夢ではないのかと疑われて仕方ない。もしこれが夢だったら、私の望んでいた喜びに満ちた夢であるだけに、それが覚めてしまうことが恐ろしくてならない。

項梁《こうりょう》　それは殿下が並の人間ではなく、王子であることを、ご自分を知っていらっしゃったので、ご自身の境遇が不幸であると強くお感じになったのだと思います。しかし、この新しい境遇にお慣れになれば、こんなことは殿下が王子でいらっしゃることと同じで、当たり前なことになってしまうでしょう。

鐘離昧《しょうりまい》　差し出がましいようですが、私は殿下をお見つけ申し上げるのには非常に骨を折りました。そのかいもあって、あの淮南《わいなん》の沛《はい》で、図らずも、殿下をお見つけ申したときの喜びはこの上もないものでありました。あのときは、我ながら自分の勘と目が鋭いものだと、改めて自信を持ちましたし、その喜びに打ち震えたものです。

王子　ほんとにあれを思っても夢のようだ。私はまただまし討ちに遭うのではないかと恐怖が先にたって、これはもうてっきり秦《しん》の刺客が嘘をいって、私が気を許したところで首を落とすのだろうと思ったものでした。で、いっそひと思いに、この人を逆にだまし討ちしてやろうかとさえ思ったのです。しかし、ようやく本当のことがわかった時、私はにわかに胸の内に眠っていた火がついたような気がして、その明かりで本当の自分を見直し始めた気がします。そして私は急に自分の中に自信と、希望と、感謝が湧き上がるのを感じて、その嬉しさに思わずこの人を抱きしめてし

項梁《こうりょう》　まった……、けれども、ふと、またはそれがすべて自分をだましている悪者のたくらみのような気がしてきて、訳がわからなくなってしまった。
それは殿下が、あまりにそればかりを思いつめていらっしゃったからでしょう。往々にして、願いが強ければ強いほど、その願いがかなったときに、本当かどうか疑いたくなるものですから。

項羽、平服のまま登場。立ち止まって反抗的に一同をにらみまわす。

項梁《こうりょう》　私の甥《おい》の項羽であります。
項羽《こうう》　こちらは私の分家の叔父にあたる項梁《こうりょう》です。

王子、立ち上がって項羽に礼をする。項羽、それに軽く握手で応える。

劉邦《りゅうほう》　（立ち上がり）私は劉邦《りゅうほう》です。あなたを尊敬しておりまして、微力ですがお手伝いしたく参上しました。
項羽《こうう》　（劉邦《りゅうほう》をジロリと見て）俺も君に興味をもっていたが、よく来てくれたな。俺はどこに座ったらいいのだ？　俺の席はないようだが。
項梁《こうりょう》　（傍白）嬉しくなって、調子に乗っているな。（項羽に）お前は先刻《さっき》加減が悪いからお目にかからないようなことをいっていたじゃないか。

項羽《こうう》　では私が来なければ、私の席は作らないのか？

范増《はんぞう》　いいえ、そういうことではありません。ついここが狭いもので、どなたの席と決めることもできずに、勝手に皆さまに着席していただいていたのです。さあ、どうぞこちらへ。（王子と劉邦《りゅうほう》の間に席をつくる。項羽、しかたなくその席につく）

王子　あなた方のお力で、私のかねてからの希望が実現され、こんなに嬉しいことはありません。私は生き返ったような気がしています。

項羽《こうう》　そんなにお喜びですか？　私は真の希望というものは、必ず実現されるためにあるものと信じています。しかしとにかく、あなたはこの場におられればもう大丈夫です。いったい今までどんな風でいらっしゃったのです？

王子　私は牧童《ぼくどう》だったのです。そしてその日も、朝からいつものようにたくさんの羊を追って、あの湖水のわきで番をしていました。そこへも私をいじめる村の若者たちが集まってきて、また私になんだかんだと言いがかりをつけるのです。というのは、私はその者らに向かって、一度こういったことがあったのです。「君たちは大勢で、しかも皆両親を持っているが、結局、百姓の子ではないか。自分は一人で、しかも親のない孤児だけれど、王の子孫だぞ。今に見ていろ」。こういったからです。

項羽《こうう》　はははは、そしたら皆は「身のほど知らずの大馬鹿者め」といったでしょう。「こいつも、近頃はやりの大ボラふきの変人だ」とでもいったのでしょう？　そして笑いながらあなたを馬鹿にしたのでしょう？

王子　それればかりではありません。私がそういうとそれをまねして「俺は王子だ。今に見ていろ」といいふらす者があちこちに出てきたのです。実際、そのあたりでは一つのはやりにさえなっていました。中には真面目に信じて、噂《うわさ》を流す者もでてきたほどです。それでどれが本当か嘘かちょっと区別がつかなくなってたくらいです。

鐘離昧《しょうりまい》　しかしそのはやりのお陰で、私は殿下をお見つけ申し上げることが出来たのですよ。「変な話がはやるものだ、きっとこれには何か理由があるに違いない」と思いまして、それが探し始めるキッカケになりました。

項梁《こうりょう》　何が幸せの手引きになるかわからぬものですね。

王子　しかし皆が、私のいうことを馬鹿にして、まったく取りあってくれないので、しまいには自分までが何となくそれを疑い出すようになってしまいました。自分は、「何かのまやかしにあっているのではないか」という気がしてきたのです。というのも、私は自分の血統をくわしく知らないので、「お前の父親は何という王で、どうして死んだのだ」などと質問されると、私は答えることができなかったからです。とにかく私は、いつもそうやって一人除け者にされながら、寂しい日々を送っていたのです。

項羽《こうう》　孤独を味わったことのない者など、我々が相手にすべき者とはいえない。しかしあなたにとっては、孤独を味わったことはむしろめでたいことだ。私などは、まだ年こそ若いが、そういう辛さを十二分に味わったお陰で、こんなに強くもなれた。その上、「自分が何者なのか」ということも知ったのだ。庶民は一生その寂しさを知らない。いつでもいい仲間がいるからな。優れた運命

項梁《こうりょう》　に生きる者は皆、寂しいのだ。その寂しさを知る者の上に、栄《さか》えあれだ。
しかし今こそ、その真偽が明らかになるときは来たのです。「時」というものは、そういつまでも不正の跋扈《ばっこ》を許しはしません。殿下が今に見ろとおっしゃったその「今」は、まさに到来《とうらい》したのです。そうして「時」は、我ら正しい者の味方に、「起て」と告げてきたのです。

項羽《こうう》　そんな理由で私たちは起《た》ったのでしたかな…？　しかし王子を味方にしているから、我々が正しいなどといわれたくない。私はそれを恐れる。そういう者がいたら、どんな者であっても、私がそいつを罰してやる。

項梁《こうりょう》　何だって？

項羽《こうう》　私がそいつを罰してやるというのです。私はたとえ世の中から正しくないといわれても、断固、征服して天下をとったほうがいい。そんなことは成し遂げた後に、いわれるものならいわれるべきことですよ。私は、いつも自分を「正しい」と繰り返していないと落ちつかないような、自信のない者と一緒にしてほしくない。

項梁《こうりょう》　(傍白) 嘘をいいおって。

項羽《こうう》　だが、そんなことはどうでもいいのだ。なぜならやつらに、何が正しいとか正しくないとか、そんなことがわかるはずはないからだ。それが本当にわかるのは、ただ征服者だけだ。そうではないか？　劉邦《りゅうほう》。

劉邦《りゅうほう》　それはそうです。しかし本当に征服しきってしまえば、彼らも結局は黙認するでしょう。

項羽《こうう》　そうだ。つまり、やつらはただ黙認して尊敬していればいいのだ。判断は彼らのすべきことじゃない。

項梁《こうりょう》　しかしお前には、世の中の腐敗しているのが見えてない。またそれを見たとして、それが間違っていて、我らが正しいのだと認めないのか？

項羽《こうう》　私は自分とほかのものを比較することが嫌いだ。それに世の中が馬鹿で、腐っているものだということは今に始まったことではない。いつもそうなのだといい切れるのは、世の中が馬鹿者の集まりだからだ。ただ以前、ある者が私にこういったことがある。「君は世の中をあまりに軽視し過ぎている」と。しかし、それは違っている。私よりもかえって世の中自身のほうが、実は自分たちのことを軽蔑《けいべつ》しているんだ。それは間違いない。

王子　そうです。世間の者は皆、口癖のようにいっています。「今の世の中は駄目だ。昔の英雄や聖人はもう二度と出てきはしない。どいつもこいつもどんぐりの背比べで、大したやつは一人もいないのだ」と。

項羽《こうう》　その大したやつに、出てきてほしくないからだ。そういっていないと自分らが不安だからだ。しかも、やつらがその決まり文句を並べている背後で、いつの世も必ずその大した者が現われているのだから面白い。もちろん、そんなやつらが「英雄の出るのを待ち望んでいる」などというのは、口先ばかりで、上っ面だけの嘘だということなど、とうに知れたことだ。もっとも民が、一日も早く秦《しん》の圧政から救われたがっているのは本当だろう。しかしそれはいつも踏みつけられている、どうしようもなく貧しい者だけのことだ。ちょっとでも余裕のある者は、むしろ天下の非道を、自分らの卑しいもうけのために利用して喜んでいるくらいなのだ。だから、天下が英雄の

王子　出現を待ち望んでいるなどという者がいても、俺はそんな言葉を信じちゃいなかった。民などというものは、土ぼこりが軍の敵であるのと同じで、いつだって英雄に害をなすものだ。やつらは俺のことを知らないのか。あるいは知っているからこそ、なおさら言うのか？　だがどうせやつらは俺の敵ではない。世の中などというものは、いってみれば俺が人生を征服するために、天によじ登ろうとして足を踏んばる、ただのぬかるみに過ぎないものなのだ。

項羽《こうう》　私はあなたを大好きになりましたよ。魂の抜けた、だらけきった今の世に、あなたのような豪傑が生まれているということが、なんと頼もしく感じられることか。あなたは私の力だ。私はあなたのそばにいると、山の上の岩でできた城の中にいるよりも心強い。

項梁《こうりょう》　それなら、私の中へお入りなさい。王子。私もあなたが可愛くなった。私を頼って、遠慮しないで私の精と力を食べて成長するのです。頼られることは嫌いじゃない。

項羽《こうう》　（思わずため息をついて）……殿下。止まり木をえらぶのはあなたの自由です。しかし私を頼るなら、しっかりとつかまっておくことです。私はじっとしている幹ではない。風の中で生長していく大木です。だから振り落とされてはなりませんぞ。ははは。

王子　あなたを頼ることは、とりもなおさず、あなたの叔父さんにも頼ることにはならないのですか？

項羽《こうう》　よろしい。では私があなたに王の冠を授けよう。（剣で季布《きふ》に合図する）

季布《きふ》、退場。

項梁《こうりょう》　項羽！　お前、そんな勝手をしようというのか？

項羽《こうう》　私は無理に勝手をしようとしているわけではない。あなたが授けたければ、どうぞ、お授けなさい。（項梁《こうりょう》は返事をしない。そこで王子に向かって）あの叔父は、私が小さい時に私を育ててくれた人です。私にはじめて弓矢を教えてくれた人です。寒い冬の明け方に、私に布団をかけてくれた人です。そして、私が大きくなってからは、逆に私があの人を育てたのです。私はあの人の世話をし、あの人を敵から防ぎました。そうやって、受けた恩を十二分に返してきたのです。私はあの叔父を愛しています。彼にも、もう一方の手を持たせておやりなさい。

王子　私は皆に手を持ってもらわなければならない。私は一人で追放されるときは強かったのだが。しかし今や、女のように弱くなってしまった。

季布《きふ》、冠を入れた箱を持って登場。うやうやしくそれを項羽の前に持っていく。項羽、その蓋《ふた》を開け、冠を取りだし、それを眺める。ため息をつく。

項梁《こうりょう》　（独白）項羽のやつめ、よだれを垂らしているわ。もう人にやるのがいやになったのだ。

項羽、冠を再び箱の中に戻す。

項梁《こうりょう》　即位は少しでも早いほうがいい。どうせこれは仮の儀式です。正式には、天へのご宣誓と一緒にすることになりましょう。が、いずれせよそれは、関中を占領した暁に、祝勝をかねて改めて行

うことにしましょう。ではとにかく。（項羽に遠慮して、王子を目で促す）

王子、項羽の前に行く。

項羽《こうう》　ひざまずきなさい。

王子、ひざまずく。項羽、再び冠を取りだし、それを王子の頭上に載せようとして躊躇《ちゅうちょ》する。突然、それを床の上に投げつける。王冠、砕ける。一同、驚く。ただ劉邦《りゅうほう》のみ落ち着いている。

項梁《こうりょう》　（起ち上がって怒る）何をする、項羽！　お前は殿下を侮辱するのか？

項羽《こうう》　むしろ叔父さんはそれをお望みでしょう？　私を追い出す日のために。

范増《はんぞう》　（傍白）「こんなことになりはしないか」とわしは思っていたのだ。

王子　私はどうしたらいいのだ……。

項羽《こうう》　俺にこんな馬鹿な真似ができると思うか！

項梁《こうりょう》　誰がお前にしろといった！

項羽《こうう》　叔父さんは喜んでいる。下らん！　こんなものがあるから人間は惑わされるのだ。（王冠を蹴る）

項梁《こうりょう》、項羽を斬ろうとして剣の束に手をかける。居並ぶ者たち、緊張する。このとき虞姫《ぐき》、幕の間から飛

下らん！　こんなものがあるから

鳥のように出てきて華やかに舞い始める。音楽。にらみ合って立っていた一同、呆気《あっけ》にとられてそれを見る。その間に項羽は自然と椅子に身を投げ出し、妻の舞を見つつ涙ぐむ。虞姫《ぐき》は一同の気持ちが次第に和らぎ、再び席につきはじめたのを見て、舞うのをやめる。と同時に大勢の女官たちが、酒と盃《さかずき》を豪華な盆にのせて出てくる。

虞姫《ぐき》　（王子の前に進み出て）私は項羽の妻でございます。失礼をお許しください。（こういいながら王子に盃《さかずき》を渡してみずから酒を注ぐ。王子、目で挨拶をして飲む。虞姫《ぐき》は次に劉邦《りゅうほう》、項梁《こうりょう》、項羽にそれぞれ盃《さかずき》をわたす）

項梁《こうりょう》　（虞姫《ぐき》が自分の前にきた時に）よくやってくれました。あなたは、あの美しい雨で、ざわついたほこりをしずめてしまった。（王子に）どうか項羽の不作法をお許しください。

王子　私は、王冠などが欲しいわけじゃない。それよりも、あなた方の間の平和がほしい。

項羽《こうう》　（虞姫《ぐき》が自分の前にきたとき、ついその手を握る）お前は叔父の一命を救ったな。（早く下がれ、と目くばせする）

虞姫《ぐき》、一同に礼をして退場。

項梁《こうりょう》　項羽、今の殿下のお言葉を聞いたか？

王子　（高座から下りて、項梁と項羽との間に進む。そして項羽に）あなたのご夫人の美しい心と私の愛に免じて、どうか仲直りしていただけないでしょうか？　天に代わって私がそれをお願いします。私にとって、あなた方の親密な平和が何よりも嬉しいものなのだということを、心に留めておいてください。私たちは今、些細《ささい》なことで仲間割れなどしている時ではないでしょう。

項羽《こうう》　（微笑む）私の愛に免じて。盃《さかずき》を。

劉邦《りゅうほう》　それは私が注ぎましょう。

劉邦《りゅうほう》、女官より酒と盃《さかずき》をとり、項羽と項梁《こうりょう》に注ぎ、項羽はまた王子と劉邦《りゅうほう》の盃《さかずき》に酒を注ぎ、四人で向かい合って立ちながら盃《さかずき》を挙げ、飲み干す。そこに伝令の兵、息を切らしながら登場。

使者　（敬礼して）申し上げます！　秦《しん》の朝廷がこちら側の情勢をことごとくつかんだとみえます。丞相の趙高《ちょうこう》は驚いて、さっそく将軍章邯《しょうかん》に三十万の兵を与え、こちらに進軍するよう命令を下したとのことです。章邯《しょうかん》は部下の司馬欽《しばきん》に一部の兵を任せ、すでに函谷関《かんこくかん》を出た模様です。以上、ご注進《ちゅうしん》いたしました！（退場）

項梁《こうりょう》　きっと、二手にわかれてやってくるにちがいない。

項羽《こうう》　少しはぶつかってくるものがないと、力の試しようがない。ところで今、味方にはどのくらいの兵数がいるのだ。

范増《はんぞう》　劉邦《りゅうほう》どのが約十万の兵を加えて下さったので、やはり三十万くらいはいると思います。

項羽《こうう》　それでは俺が仕事をするにはちょっと多過ぎるな。

王子　どうでしょう。味方も東西二手にわかれて進むことにしたら。

項羽《こうう》　（見下したように）それはあなたが口を出すことではありません。

項梁《こうりょう》　では、とにかく明朝明け方に出発することにしましょう。道は遠いのだから慌てて動いてはかえってよろしくない。今夜はゆっくり休むことにして、準備を整えよう。（一同に）皆もそのつもりで。

一同　心得ました。

項羽《こうう》　いよいよ戦う時が来たのだ。（壁に立てかけてある大きな青地に金の鷹を縫い上げた旗を持ってきて、それを地面に突き立てながら）ここに俺の旗がある。これは死の恐怖の象徴だ。まだ新しくて何の傷も受けていない。そして、これからはだんだん血にまみれたり、やぶれたり、裂けたりすることもあるだろう。だがこの旗のひるがえるところ、それは敵となるやつらの心を恐怖させるだろう。そして、それは俺の心が勝ちにゆるんだ時、俺の運命はどうあるべきだということを俺に思い起こさせるだろう。お前ら、俺の命令にしたがい、俺に命を捧げ、そして、あくまでこの旗のために戦う決意のある者だけ、剣を挙げるがいい。もちろん、勧めはしないがな。

多くの将兵が剣を抜いて高く掲げ、その覚悟を表す。

項羽《こうう》　よし！　では今宵《こよい》は大いに飲め。明日は咸陽《かんよう》へ向け出発だ。咸陽《かんよう》だ！　おそらく、いや絶対、一撃の下に陥《おとしい》れることができると俺は信じているぞ。

（幕）

楚

韓信匍匐《かんしんほふく》

韓信《かんしん》の若い日。「身体は大きく剣は立派だが、お前は実は臆病者《おくびょうもの》だ」「その剣で俺を倒してみろ。できないなら俺の股《また》をくぐれ」と挑発された。こんなところで問題を起こしてはならないと考えた韓信は股《また》をくぐって恥辱《ちじょく》に耐えた。大志《たいし》をもつ者が、つまらないことを我慢して物事を成し遂げることのたとえ。「韓信《かんしん》の股《また》くぐり」。

漢

第二幕 項羽と劉邦

第1場

定陶《ていとう》郊外、とある居酒屋の中

にぎやかな笑い声がひびいて幕が開く。多勢の兵士が、あちこちに分かれてテーブルを囲み、酒を飲んで騒いでいる。

兵士一　さあ、酒だ、酒だ！　今夜は飲み明かすぞ。人生の快楽をこの一晩で味わい尽くして、もう快楽ということばを聞いただけで、吐き気をもよおすほど飲みまくってやれ。そうすりゃ、あの血なまぐさい戦場の狂乱がかえって懐かしくなるかもしれねえぞ！

兵士二　ウェーイ！　そうだ！　もっとやれやれー！　酔って酔って酔いつぶれちまって、しばらくは身体中のどこを斬られても出てくるのが酒ばっかりで、まったく痛くも痒《かゆ》くもねえというまで飲んでやろうぜ。いつも俺たちを、遠くから鞭《むち》一本でヤイノヤイノ駆り立てるやつらがよ、戦いが済んで死骸《しがい》だらけになった戦場に見にきたときによ、そこら中に流れているプンプンするドブロクの臭いにむせて、「何だ、これは血かと思ったら酒じゃねえか」なんて、がっかりさせてやろうじゃねえか。

笑い声。「おおよ！　賛成！」などと上がる声。亭主（実は項梁《こうりょう》のスパイ）、酒を持って登場。

亭主　さあさあ、どんどん、やってくだせえ。いくらでも持って参りますぜ。（一同に酒杯を渡しながら）目がまわるほど早く、たーくさん、飲んでくだせえ。

兵士三　酒もいいが、姉ちゃんがいなくっちゃ盛り上がらねえよ。姉ちゃんはどこにいった？　え？　蘇《そ》桃娘《とうにゃん》は？

亭主　へえへえ、今参りますでございますよ。（呼ぶ）これ、桃娘《とうにゃん》や。呼んでいらっしゃるから早くきな。

殷桃娘《いんとうにゃん》　（姿見えず、奥から声だけで）今、行きます。

兵士四　どうだ。あのむかつくガラガラ声の号令たあ、ちったア違うもんだなあ！　おい、みんな！　今夜は俺はあの姉さんのベッドに泊めてもらうって約束になっているんだからな。そんな俺さまが、ちょっとだけ紹介してやるぜ。

兵士三　ふざけるな！　俺のほうが先だぞ。

兵士五　恐れながら、小生のほうがさらに先約をいただき…。

兵士一　やめやめ！　そんな下らねえ言い合いなんかしてんじゃねえ。みんな、変わんねえよ。どうせ死ぬも生きるも一緒の身体じゃねえか。

兵士二　明日からまた、「死ね」といわれる代わりに「前進だ」「突撃だ」「退却だ」って怒鳴られるんだ。「進め、火の中へ！」「ハッ！」「飛び込め、死の谷へ！」「ハッ！」「敵の目ん玉をくり抜け！」「ハッ！」。何でも「ハッ！」「ハッ！」というしかできねえのが俺たちだ。まあ、しかし「何のために」なんてえことは、一切考え始めちゃいけねえ。そんな理屈を考える資格は、俺たちにゃねえみたいだしな。

兵士五　当たりめえよ。命を惜しむ資格さえ持っていねえ俺たちが、考えるとか生意気なこたあさせてもらえるわけねえ。そんなこたあ俺たち雑魚《ざこ》なんかのガラじゃねえんだよ。

兵士三　ははは。しっかし、おめえ人の目ん玉、本当にくり抜いたことがあるか？　俺はな、ほんとにあるぜ。男の俺でも、あやうく惚《ほ》れてしまいそうな、きれいな若者だったけどな。敵のスパイだっていうんで、俺がそいつの目ん玉くり抜くって、ありがてえお役をおおせつかったんだ。(亭主はスパイと聞いてドキッとする)

兵士四　なんだ、そんなことはめずらしくもねえよ。

亭主　お前さんは断らなかったんですかい？

兵士三　そんなこと出来るわけねえよ。やれといわれちゃ、やるしかないやな。まだ彭城《ほうじょう》にいた時だったけどな、あの項梁《こうりょう》の野郎、退屈まぎれにそんなことをいいつけやがってよ。けどしょうがねえから、俺は目えつぶってなんとかいわれる通りにやったよ。そのあと両腕をちょん切ってよ、目ん玉の穴には石ころを詰め込んでな。俺あ、「この悪魔め、これで満足してくれ」って願ったね。「俺は別にてめえを喜ばしてえわけじゃねえ。だがな、だからこそ、俺の命をおめえに取られるわけにはいかねえからな」ってよ。後で聞いて見ると、そいつには可愛い女房と子供がいてな、おふくろもいたんだってよ。

兵士五　それでもまあ、目ん玉を煮て食わせなかっただけマシだな。近頃じゃあ、人間の命が大根よりも安くなったんじゃ、少しでも手間をかけて殺さねえと殺したような気がしねえんだな。うんと、ご丁寧な殺し方をして、ようやくちょっとばかり殺したような気がするんだろうよ。人間てのは

兵士二　何にでもすぐ贅沢になりやがるもんだからな。
亭主　ああ。だから項羽のようなバケモノは、一度に二十万も殺さねえと満足できねえんだな。
兵士一　に、二十万人？　そりゃ本当ですかい？
亭主　なんだ、お前は知らねえのか。あの青鬼の野郎、陣地を巡察《じゅんさつ》していたときに、投降した秦《しん》の兵士たちが劉邦さまの家来になれなくて、あの青鬼の家来になったことを愚痴っていたのを立ち聞きしやがって、一晩の内に皆殺しにしてしまいやがったんだ。
兵士二　それが二十万人もいたのですか。恐ろしいやつですな。
だからあの洛水《らくすい》には、赤い血の氷がはったっていわれているしな。今でもその場所にいったら、夜になるとそいつらの恨む声や、叫び声がものすごいらしいぜ……。
蘇桃娘《そとうにゃん》、肉を山盛りにした皿を持って登場。
兵士四　さあ、女王のおいでだ。一同、敬礼！
一同笑い声、殷桃娘《いんとうにゃん》に敬礼する。
兵士一　蘇桃娘《そとうにゃん》万歳！

劉邦さま万歳！

殷桃娘《いんとうにゃん》　一同、「蘇桃娘《そとうにゃん》万歳」を叫び、酒を飲み、肉にかぶりつく。
今度は、私がやりますよ。(台の上に飛び上がって) 劉邦《りゅうほう》さま万歳！

一同、「劉邦《りゅうほう》さま万歳」を叫び、酒を流し込む。

亭主　いやあ、あなた方はそれでこそ、劉邦《りゅうほう》さまにつき従う強兵《つわもの》たちってもんです。

兵士三　いやなに、俺はもとは項羽の軍にいたんだがな。例の彭城《ほうじょう》でのくじ引きで、項羽が東軍で、劉邦さまが西軍と決まって、それぞれ咸陽《かんよう》に進軍することになったときに、どさくさに紛れてこっそり劉邦さまの軍に入っちまったんだよ。あの青鬼の下でこき使われていちゃあ、死なないのが不思議なくらいだからな。自分がどんなに強いかを示すためには、何万もの人間を犠牲にしてもいいって、天から許されていると勘違いしているんだから、やってらんねえ。

兵士五　いや、あのマムシのような項梁《こうりょう》めがいるだけでも、俺あ東軍につく気にはならねえな。だがまあこうしてラクダの番人になってりゃ、下っ端でも死ぬことはねえんじゃねえかってな。

殷桃娘《いんとうにゃん》　どちらが先に咸陽《かんよう》に入るでしょう？

兵士二　ああ、今、それが天下中の「賭け」になっているんだがな、そりゃあちょっとわからねえな。どっちから行っても七百里はあるんだからな。だが俺の予想じゃ、まあどちらかといえば、俺たちのほうが一足先に入ることになりそうだな。っていうのは、項羽のやり方は、一つの城へぶつかるといちいちそれを攻め滅ばして死骸《しがい》の山を作って、街中に血をまき散らして進むという風だろ？でも劉邦さまのやり方は、まるで違うんだ。まずな、一つの城へ来ると、戦う前に使いを出してこういわせるんだと。「街と城を明け渡すがいい。むりにわが軍と戦えば、そちらの損になるばかりだ。もともとわが軍の目的は秦《しん》にあるのだから、そちらと戦争はしたくない。我らは乱暴はしない。逆にそちらの街の秩序を守る上に、外敵の侵入を防いでやる。だから早く明け渡してしまえ」と、こういってやるんだそうな。何しろこちらには何十万という猛者《もさ》がいるんだから、グウもスウもねえ。向こうだって命には替えられねえから、皆すぐに明け渡してしまうって具合さ。

亭主 まあそんな風にして、あの昌邑《しょうゆう》だの高陽《こうよう》だのなんて城は取っちまったんだ。

いわゆる「刃に血塗らずして」というわけですな。じゃあ、そのほうが逆に早くなるんじゃないですかい？

兵士二 ああ。それに、もし少し手間取ってもな、また新しく軍を整えて作り上げる時間とカネは、はぶけるわけだからな。それにな、昌邑《しょうゆう》や高陽《こうよう》の民は「守ってもらえるんで、前よりも全然心配がなくなって楽になった」といって喜んでるよ。で、あの項羽のほうはといえば、いたる所で恐怖と憎しみをまき散らかしてやがるんだ。現にあの懐王さまのようなお人だって、劉邦《りゅうほう》さまと話をする時には、座ったままくつろいで楽しそうにお話しになられるが、項羽と会っている時には、立ってお話しをされるという話だ。でないとあのわがまま野郎、すぐ機嫌が悪くなっちまうらしい。

兵士四 だがな、うっかりこっちが先に関中に入ることにでもなっちまうと、その後が面倒だぞ。かえっておとなしくやつを先に入れて、満足させてやったほうがいいかも知れねえよ。

兵士五　だな。今は先に関中へ入るとか入らねえなんたあ、そう大したことじゃねえ。もしこっちが先に入っちまったら、あの青鬼め、またかんしゃく起こして、どんなひでえことするかわからねえぞ。

殷桃娘《いんとうにゃん》　（つい興奮して）項羽なんて呪われちまえ！

兵士一　はははは、姉さん、えらい勢いだな。昔、周の幽王《ゆうおう》を微笑みひとつで死に追いやって、大勢の同胞を救ったあの褒姒《ほうじ》のように、姉さんも一つあの青鬼の寝首をかいてやったらどうだ？「英雄、色を好む」ってこともあるからな、姉さんのその美貌に勇気さえあればいけるって、俺が保証するぜ。

殷桃娘《いんとうにゃん》　（びっくりして）まあ、まさか私にそんな恐ろしい芝居なんてできませんわ。

兵士三　そりゃ無理ってもんだ。あの青鬼には、幽王《ゆうおう》の褒姒《ほうじ》に負けねえほどの、心底惚れちまってるご自慢の嫁《よめ》さんがひっついているじゃねえか。それにやつは幽王《ゆうおう》のようなふぬけたあ違うし、そっちは、馬鹿がつくほどクソ真面目だというからな。まあそんな手ぬるい色仕掛《いろじかけ》けなんかじゃ、殺せやしねえよ。

兵士二　だからよ、微笑みで自滅させるなんてこたあできっこねえけどよ、やつだって石や岩じゃなし、可愛い娘は嫌いじゃねえだろ。いくら本妻に惚れてたってよ、他の女の味はまた別だからな。あんな大袈裟《おおげさ》な野郎は、いったん惚れ出した日にゃ、思いきったことをするにちげえねえよ。だいたい、お前はそんなふうにいってるけど、やつに天下を取られでもして見ろ、俺たちゃ、いったいどうなると思うってんだ。なあ、姉ちゃん。

殷桃娘《いんとうにゃん》　もう、私にはそんな恐ろしいことはできません！　（奥へ逃げ込む）

兵士一　ははは。どうしたどうした。（呼ぶ）姉さん。今のは冗談だよ。

兵士三　お前がロクでもねえことを話すからいけねえんだ。もうそんな話はやめちまえ。なあ、お姉ちゃん。こっち来て、俺に抱っこさせてくれよ。俺をかわいそうだと思ってさ。

亭主　おい、桃娘《とうにゃん》や、桃娘《とうにゃん》や。どうしたんだ。（返事なし）しょうがない娘だなあ。（奥へ行く）

兵士五　さあ、酒を持って来いよ。ああ俺は酔っちまったよ。殺すならこんな時に殺してくれると、いい気持ちでいっちまえるんだがな。姉ちゃんとも、もう今夜でお別れかな。今まではまあ、こうして無事にやってきたが、これから先の戦争を考えるとなあ。ああ、いやだ、いやだ。

ある者は歌を歌う。扉をたたく音。

兵士四　（寝そべりながら）おう、また仲間だな。扉なんかたたきやがって。しゃれた真似なんてしねえで、ドンドン中に入ってきやがれ！

亭主　（出てくる）どうぞ、お入りなせえ。

呂妃《りょひ》、二人の護衛兵を連れて登場。殷桃娘《いんとうにゃん》は幕の陰《かげ》から様子をうかがっている。

呂妃《りょひ》　（威厳ある態度）私は劉邦《りゅうほう》の妃《きさき》じゃ。お楽しみのところ、邪魔をしてすまぬが、ここを空けて使わせてくださらぬか。

兵士二　へえ、これは大変だ。おい、皆、起きろ起きろ！　劉邦《りゅうほう》閣下の奥方さまだ。

護衛　失礼なことをすると承知せんぞ。さあ！　早く出て行け。野郎ども！

呂妃《りょひ》　（兵に）そんな手荒なことをいうでない。私は皆さんに申し訳なく思っている。さあ、ご亭主。皆さんの酒代は私が持つからの。（財布より金を取り出して）

亭主　へえへえ。これはどうも。

兵士三　じゃ、皆出て行くとするか。少しもの足りねえが、ただで奥方さまから酒代をちょうだいしたとなりゃ、お礼を申し上げなくっちゃならねえ。

兵士四　どうもありがたいことでごぜえます。奥方さま。

呂妃《りょひ》　すまないが、飲み足らなければどうか他に行って飲んでおくれ。

一同、手真似で合図しあいながら、礼をしてそれぞれ退場する。

呂妃《りょひ》　ときにご亭主、私はある者に用事があってきたのだが……、お前の店に、近頃やとわれた娘がいると耳にしたが、もしいるなら、ちょっと会わせてもらえまいか？

亭主　へえ、おやすいご用で。あれは不幸な娘でございまして、悪者に危うく売りとばされそうになっていたのを、私が救ってつれてきたような次第で。これ、桃娘《とうにゃん》や。奥方さまが、お前に何かご用がおありだそうだ。早くきな。

殷桃娘《いんとうにゃん》出てくる。もじもじしながら、奥まった所に立っている。

呂妃《りょひ》　（亭主に）すまないが、お前さんも暫《しばら》く遠慮をして下さらぬか？

亭主　へえへえ、私もちょうどこれから、ちょっとそこまで用事がありまして、出掛けようと思っていたところでごぜえます。では桃娘《とうにゃん》や、お前に留守をたのむからな、いいな。では奥方さま、これにて失礼を。（退場する）

呂妃《りょひ》　（二人の護衛に）ではお前たちは、外でだれかが入ってこないように見張りをしていておくれ。（護衛ら、退場）お前は殷桃娘《いんとうにゃん》だね。

殷桃娘《いんとうにゃん》　（燃えるような目をして）ああ奥さま！　どうしてそれをご存じなのです？

呂妃《りょひ》　お前をひと目見ればわかるよ。ああ、私はお前に会いたくて探し回ったんだよ！　本当にどんなに大変だったことか！

二人は気持ちを込めて早口で言葉をかわす。

殷桃娘《いんとうにゃん》　あなたさまに、どんなにお目にかかりたかったことか！　けれどもそれはかなわないことだと、あきらめていたのです。

呂妃《りょひ》　私たちは「あきらめる」なんていってる場合じゃないんだよ。飢えた鷲のように、生命《いのち》と自由を食っていかなければならない。しっかりおし。私の殷桃娘《いんとうにゃん》よ。私はお前を救いにきたのだ。お前を活《い》かしにきたのだよ。

殷桃娘《いんとうにゃん》　奥さま。大きなお声で殷桃娘《いんとうにゃん》とお呼びにならないでくださいませ。私は自分のことなのに、その自分の本当の名を耳にすると、怒りで身がふるえてしまうのです。それで、私は父が殺されて家を出ましてから、蘇桃娘《そとうにゃん》という名に変えているのです。

呂妃《りょひ》　では、本当の名前の響きだけで打ち震えるお前は、まだ親の仇《かたき》を打つ気はあるのだね。

殷桃娘《いんとうにゃん》　たった一人の親を殺されて、こんな不幸な恐ろしい運命の落とし穴に投げ込まれた私は、親の仇《かたき》を討つ前に、まず自分の仇《かたき》を討たなければなりませんわ。奥さま、あなたはまさに私にとって鏡のような方でございます。あなたにお目にかかって、ずっとぼんやりしていた自分の正体が、ようやくハッキリ見えてきた気がします。そこの私は浅ましく、恐ろしく、醜くて、自分でも見るのがイヤになります。けれども、私はそんな自分から逃れることができない、憐れな者なのでございます。

呂妃《りょひ》　私を敵だと思わなければ私に抱擁《ほうよう》させておくれ。そして、しっかりと私を見て話しておくれ。お前は知るまいが、天下の運命、あらゆることが、いまや私ら二人の女の肩にかかっているといってもいい過ぎではないのだよ。さあ、これからは、私をお前の実の姉と思って、私を頼っておくれ。私はお前を本当の妹と思って、必ず陰になり日向になって、お前のために力を貸してやる。私たち二人の運命は一つだ。お前の幸福は私の幸福、お前の仇《かたき》は私の仇《かたき》だ。さあ、誓っておくれ。私たちが運命をともにする姉妹になったということを。

殷桃娘《いんとうにゃん》　（呂妃《りょひ》にすがりつく）お、奥さま……。

呂妃《りょひ》　なんと！　お前は誓うことができないのか？　なぜだ？　恐ろしい落とし穴にはまってしまったお前を、私がせっかく手をさしのべて、引き上げてやろうというのに。そのまま穴の中でおぼれ死にたいというのかい？　人はいずれは枯れて死んでしまうものだが、お前は咲いて死ぬよりも、咲かずに死ぬほうを選ぶというのかい。ああ哀れな生命《いのち》の花よ。お前は踏みつけられているうちにしおれてしまったのだ。

殷桃娘《いんとうにゃん》　けれど、私などに何ができるでしょう。踊《おど》ることと、歌うことのほかできない、こんな私に。

呂妃《りょひ》　茶坊主は、ちょっと話し相手ができるというだけで、王の後宮へも大手を振って入って行けるじゃないか。世の中のあらゆる者は、皆それぞれのあたえられた武器を活《い》かしていかなきゃいけないんだ。そして人は皆その武器を活《い》かしきらないと、自分の運命を切り開いていくことはできないのだよ。しかもお前には、四つの武器が与えられているじゃないか。女であるということと、美しいということと、歌と、舞と。そしてあのすさんだ陣中で、何が一番求められていると思っているのか？　お前の備えているものすべてが、もっとも求められているものじゃないか。お前はその四つの魅力を携《たずさ》えていけば、皆、大歓迎間違いなしだ。

殷桃娘《いんとうにゃん》　（驚いて）奥さまは私に、あの恐ろしい虎の口へ入って行けとおっしゃるのですか！

呂妃《りょひ》　しっ！（手真似で殷桃娘《いんとうにゃん》の言葉を制し、「奥を見てこい」と命じる）

殷桃娘《いんとうにゃん》　（忍び足で奥の扉を開け、奥をのぞき見る。戻ってくる）誰もおりません。

呂妃《りょひ》　お前の秘密を知っている者はいるのか？

殷桃娘《いんとうにゃん》　一人もいません。故郷の者は皆、私が戦《いくさ》に巻き込まれて、その時に火事で焼け死んだものと思っているはずです。皆、忘れて当然ですわ。私ですら、自分が殷桃娘《いんとうにゃん》であることを、しばしば忘れてしまいそうになるのですもの。

呂妃《りょひ》　それは何よりだ。それで、あの項羽はお前を見たことがあるのか。

殷桃娘《いんとうにゃん》　ありますわ。項梁《こうりょう》と一緒に、私の父を殺した時に。

呂妃《りょひ》　(困った様子)……まあ、心配することはない。男のガサツな目をくらますくらいの変装は、女にはできる。それにどんな荒武者でも、人を殺した時に落ちついて、観察したり記憶するなんてすることはできないものだ。

殷桃娘《いんとうにゃん》　けれどもまだほかに、私をよく知っている家来が二人います。その者たちは、元々私の父に使われていたのです。

呂妃《りょひ》　季布《きふ》と鍾離眜《しょうりまい》のことだろう。私にはちゃんと調べはついているんだよ。だがあの季布《きふ》は、もうあの鉅鹿《きょろく》の戦いで討死《うちじに》してしまったじゃないか。

殷桃娘《いんとうにゃん》　しかしまだ誰か、他に私を見覚えている者がいそうな気がしますわ。もし私が殷桃娘《いんとうにゃん》だということがバレたら、私は殺されてしまいます。

呂妃《りょひ》　大丈夫だよ。私には用意がある。(青い少年の服と、帽子を取り出す)さあ、これを着てごらん。お前にはきっとよく似合うだろう。お前のその髪もなおさなければならないが……。お前は胡弓《こきゅう》を弾くことはできないかい?

殷桃娘《いんとうにゃん》　(あ然とした様子で)ええ、できますわ。

呂妃《りょひ》　では胡弓《こきゅう》を持って、この少年の服を着て、ひょうきん者になって入り込むのだよ。私がわざわざ青い色を選んだのは、青が旗の色になっているあの項羽の一門が、きっとそれに験《げん》を担《かつ》いで喜ぶと思ったからだよ。いのちがけで仕事をする野心家というものは、だいたい験《げん》を担《かつ》ぐようになるものだからね。そして歌と舞という武器をうまく使うんだ。あせらず、できるだけ落ち着いて陣中にいつづけるんだよ。その間に、私たちの望みをかなえる隙《すき》もでてくるだろう。そしてあの二人のうち、どっちかを片づけてしまえば、もう半分はしめたようなものだよ。項羽を先に殺せれば、それはあの叔父が暗殺したのだということになるし、逆に叔父を殺せれば、項羽が暗殺させたということになる。同じ望みを持つあの二匹のけだものが、どんなに仲が悪いかってことは誰でも知っていることだからね。そればかりじゃない、項羽はあの叔父が自分の妻に手を出したりしないかと心配して、あの叔父を早く亡き者にしたがっているのだ。

殷桃娘《いんとうにゃん》　ああ奥さま、奥さま……。私にはとてもそれはできない気がします。二人も人を殺すなんていうことは、あまりにも無茶な気がします。

呂妃《りょひ》　気弱なことをおいいでないよ。(声を低くして) 項羽を先に片づけてしまうに越したことはないが、もし先に叔父を殺したお前の手が、二度と刃物を持つことができないほどにしびれてしまったら、しかたがない、お前は口を使ってそそのかすのだ。もし項羽に直接いうことができなさそうだったら、あの生意気な女の耳に、こうやって毒を注ぎ込むがいい。「懐王が、項羽を恐れるあまりに、先に攻撃をしかけようと、密かに兵を挙げる用意をしている」という噂が流れていますと。それを聞いたら、あの疑り深い項羽は、それでなくとも邪魔ものに思っている懐王に対して、先に反逆の兵を起こすに違いない。懐王は懐王で、これまでのあの男の横暴に不快を感じているし、あの男から受けた様々な屈辱を忘れられないで怨《うら》みさえ抱いている。だから、あの不安に満ちた若い耳に毒を注ぎ込むなら、「今度はあなたさまがやられる番ですよ」と一言いえば十分なのだ。お前は知っているだろう？　項羽があの懐王に自分の威勢を示すために、自分が狩りで仕留めたヒョウを虎だといって献上した話を。そしてその席で、誰もそれが「ヒョウです」といえなかったのを見て、満足げに笑ったということも。なんでもあの男は、懐王たちから早く離れたいために、さんざんそんな馬鹿らしい悪ふざけをして、懐王を侮辱していたのだという話だが。とにかく、それであの二人が戦うようになれば、あの弱い懐王は犠牲になってしまうだろう。だが、かわいそうな懐王殺しの分も含めて、天下の憎しみがあの項羽の一身に集まった時、その時こそが、私たちの時代の夜明けになるのだ。私の夫劉邦《りゅうほう》が義兵を挙げるのはその時なのです。

殷桃娘《いんとうにゃん》　奥さま。あなたは恐ろしい方です。

呂妃《りょひ》　恐ろしい運命に投げ込まれた私たちが、恐ろしい人間にならずに生きていられると思うのか？　私だって、もともとはこんなではなかったのだよ。それが冷たい運命の河の中で、波に揉《も》まれ、岩にあたって流れ下るうちに、やさしかった私も知らなかった自分が、殻を破って出てきたのだよ。境遇ほど恐ろしいものはないね。だが過酷な運命の中で縮《ちぢ》こまってしまったお前は、まだ何かを怖がっているのだね。

殷桃娘《いんとうにゃん》　でもあの鐘離昧《しょうりまい》は、私に結婚を申し込んだことさえあるのです。

呂妃《りょひ》　ふん、あの軽薄《けいはく》な男がかい？　まあ、呆《あき》れた。でもお前は相手にしなかったのだろう？

殷桃娘《いんとうにゃん》　はい、あの人は恋なんかできる人ではありません。冷淡と不誠実が世渡りの術だと勘違いしている、そんな男です。

呂妃《りょひ》　そんなやつにお前の変装が見抜けるものか。しかしその前に、お前の名前も変えておかなければならないね。いくら、外見ばかり男になっても、名前が蘇桃娘《そとうにゃん》ではどうしようもないだろう。だから私は、お前の運が開けるようにちゃんといい名を考えてきたんだよ。そういうことまで抜け目なくやっておかなければね。それで、名前は金祥鳳《きんしょうほう》というのだよ。こういう字でね（指の先で、頭の上に字を書いて見せる）。なんでこの名前を思いついたかというと、私は昨夜おおきな金色の鳳凰《ほうおう》が、東の方角からはるか咸陽《かんよう》のほうに、私の頭の上を渡って行ったためでたい夢を見たからなんだよ。

殷桃娘《いんとうにゃん》　ほんとに男らしくって、可愛くていい名ですこと。私、ちょっと着てみましょうか。（帽子をかぶり、少年用の上着に袖《そで》を通す。呂妃《りょひ》、手伝う。殷桃娘《いんとうにゃん》笑いながら）男のように見えます？

呂妃《りょひ》　（笑）見えるとも、立派な美少年だ。だけど言葉も、態度も自然で男らしくしてなくちゃダメだよ。女だと知られてはいけないからね。そして運命の瞬間が来るまでは、お前はそれを脱いではいけない。

殷桃娘《いんとうにゃん》　（帽子を取り）ああ、でも私は恐ろしゅうございますわ。そのくせ何やらやりたくなって仕方がないような、今から胸がゾクゾクしてますわ。ちょうど虎の穴に、自分の子を取り戻しに行く者みたいに。でもどうせ一生恐いものに脅されつづけるのが、私たちの運命でございますもの。私、勇気をふりしぼって、やれるまでやってみますわ。

呂妃《りょひ》　（喜んで）本当かい！　ああ、それでこそお前は私の妹だ。そしてそれこそが本当のお前なんだよ！

殷桃娘《いんとうにゃん》　石にかじりついても、私たちは運命に負けちゃならないんだ。勝たなくっちゃ。そしてあの美貌《びぼう》が自慢の虞美人《ぐびじん》って女を、地獄に落ちたように絶望させてやったら、どんなに気持ちがいいだろう。あはは。

呂妃《りょひ》　どうかお笑いにならないでください、奥さま。あなたさまがお声を出してお笑いになると、私には誰かに聞かれはしないかとビクビクしてしまうのです。誰か見にこないでしょうか。

殷桃娘《いんとうにゃん》　誰もきやしないよ。まったく臆病だねえ。

呂妃《りょひ》　けれど、さっきここにいたあの兵隊たちが、私に昔の勇敢な刺客のように、項羽の陣へ忍び込んでその寝首をかいたらどうだなどといってからかうのです。あの人たちは項羽のことを、皆、「青鬼」「青鬼」と呼んでいるのです。で、仇《かたき》を忘れられない私は、なにやらそれを見透かされたようで、恐ろしくなって逃げ出してしまいました。でも、私はもう、何もかもうち明けてしまいます。実は、私があの陣に行こうと思ったのは、もう一つの望みがあるからなんです。奥さま。

殷桃娘《いんとうにゃん》　（喜んで）ではお前、会いたい人でもいるのかい？

呂妃《りょひ》　はい、奥さま。私はその人のことを忘れることができないのです。私の命はその人に捧げているのです。

殷桃娘《いんとうにゃん》　私はお前をひと目みた時から、お前の顔に、「恋」という字を読みとっていたよ。もしお前と愛し合っている人があの陣中にいるというのなら、そりゃ私たちにとってすごく都合がいい。

呂妃《りょひ》　愛し合っているかのいないのか、奥さま、それは私にはわかりません。もしかしたら愛しているのは私のほうだけなのかも知れません。いえ、その人はきっと私のことなんか、何とも思っては

あなた、魚が引いてますわ

いないでしょう。……それは私が諸国を流れ歩いて、あの淮河《わいが》に面した、とある富豪の家で下働きをしていた時でした。私は毎日、あの河へ出て洗濯をしていました。するとそこへ、やはり毎日のように釣りにくる一人の男の人がいました。恐ろしく背が高くて、肩幅の広い、髭《ひげ》がぼうぼうと生えた顔色の悪い人でした。その人はぼろを着て、釣りをしながらずっと何かを考えこんでいる様子でした。なにしろ魚がかかっても、それに気がつかないくらいでしたの。私は、その人があまりに気になってしまって、つい「あなた、魚が引いてますわ」といったのが、お話しするようになったきっかけでした。それから何回も、その人がぼんやりしていると、横から教えてやりましたの。そのたびにその人は、優しい目をして私に礼をいいました。（呂妃《りょひ》は何か思い当たった様子だが、言葉をはさまず、うなずきながら聞き続ける）私はその人の目に、普通ではない何かを秘めた火が燃えているような気がしました。しかし、私はその人がとても貧乏で、お弁当さえ持ってこられないのだということを知っていました。で、私はどうかしてその人に何か食べさせてあげたいと思っていたんですけれど、もしそんなことをいったらその人を侮辱するような気がして、いえないでいたんです。でもある時、あまりにその人がひもじそうにしていたものですから、私はとうとう思いきってその河辺に面している主人の家の台所に走って行って、そっと一握りのご飯を持ってきてその人にあげたのです。するとその人は、真っ赤な顔をしてじっと私の顔を見ながら「このご恩は、いつかきっとお返しいたします」といいました。もちろん私はそんな気であげたのではなかったのですけれど、そんなことといわれて、私はすっかりのぼせ上がってしまって、お顔を見ることとさえできませんでしたわ。その人が私の厚かましさを怒らずに、許してくれたの

呂妃《りょひ》

殷桃娘《いんとうにゃん》

が不思議で、それが嬉しくてならなかったのです。その時から私はその人が忘れられなくなってしまって、雨が降って川へ洗濯に行けない日なんかは、一日ふさいでいましたわ。でもその後、その人はもう釣りにはこなくなってしまいました。で、私はその人がもう私を煙《けむ》たがって、私に会うのを避けたのだと勝手に思い込んでしまったのです。私はどんなに悩んだか知れません。でもそれは私の勘違いだったということが、後になってわかりましたの。というのは、あとで聞いた話では、その人が釣った魚をぶら提げて街に売りに行ったときのことらしいです。そこにたむろしていた大勢のチンピラが、からかってその人にこういったのです。「お前は大きな図体をして長い刀をぶら下げているが、その刀は一体何の役に立てるのだ？　その刀が役に立つなら俺たちを斬って見ろ。もし、それができないなら俺たちの股をくぐれ」って。そしたらその人、地べたに四つんばいになっただけじゃなく、そのチンピラたちの股をくぐったのです。

ああ、その男の噂《うわさ》なら私も聞いているよ。それはお前、淮陰《わいいん》の韓信《かんしん》という評判の男だよ。

私はあの人が世間の笑い者になった時、どんなにくやしかったか。「笑う者は笑ったらいい。お前たちにあの人の偉さがわかたってたまるものか」と思いました。くやしくて、その晩、ふとんの中で泣き明かしましたわ。でも、「あの人もあの人だ。なんぼなんでもチンピラの股なんぞ、くぐらなくてもいいのに」と思ったからです。実は私でさえ、あの人は本当にそんなつまらない意気地なしだったのか、と信じられなくなり、あの人を何となく尊敬していた自分自身が、馬鹿ではないのかと迷い始めていたのです。あのときは、本当に苦しみました。でも私の目は間違ってなかったのです。間もなくあの有名な賢者の范増《はんぞう》が、あの人を見立てて項羽の家来にしたということを私は聞きました。けれども項羽には、あの人の価値を見抜くことなんてできやしません。だから、あの人は今、下っ端の仕事をさせられているという話です。でも、そんなこと私には何でもありません。あの人はきっと今に偉くなります。なぜって、あの人自身は今でも偉いからですわ。

呂妃《りょひ》　恋というものは真心から生まれるものだからこそ、恐ろしい力を持っている。ああ、私は図らずもお前の想う人があの項羽の軍にいるということを、天に感謝するよ。お前はその想いで、何倍もの力を得ることができるだろう。そうか、そうなるとお前があそこへ行くのには、二つの意義があるわけだ。お前はあそこでお前の宿命の仇《かたき》を滅ぼし、そして自分の本当の運命にめぐりあうことができるわけだ。さあ、私たちはもう一刻もグズグズしてはいられないよ。おいで、私と一緒に。私はこれからお前をあの項羽の陣の近くまで馬車で送って行ってあげよう。(殷桃娘《いんとうにゃん》は黙って立っている) お前はまだこわがっているのかい？　お前はまさかあの欲深い亭主に、恩知らずだと思われることを恐れるような馬鹿ではあるまいね？

殷桃娘《いんとうにゃん》　でも、あの人は善い人なんです。あの人は私を、おそろしいけだもの連中から救い出してくれた恩人なんです。私がどんなにあの韓信《かんしん》さまに貞節《ていせつ》な想いを抱いていたにしろ、もしあの親切など亭主がいなかったら、何も抵抗できずに、とっくにいやなけだもの連中のえさになっていたにちがいないのです。本当にあの人がいたお陰で、私は何度となく危ない目にあいながらも、奇跡的に今まで乙女でいることができたのです。

呂妃《りょひ》　今のご時世、親切に見える人間には、不親切な人間よりもよっぽど用心しなけりゃならないよ。

といっても、まあこの私だけは違うけれどね。（笑）人間は大事な方面に熱くなるためには、自分を活《い》かしてくれないところから離れることも必要なんだよ。くだらない未練は、お前のその古い靴と一緒にここに脱ぎ捨てておしまい。（金貨を一枚、テーブルの上におく）さ、これでいい。（上着を開き、殷桃娘《いんとうにゃん》を抱きかかえようとする）

殷桃娘《いんとうにゃん》、うながされるように呂妃《りょひ》に抱きかかえられるように扉から退場する。亭主、外から窓を開け、乗り越えて入ってくる。扉のところに行って耳をすます。

亭主

へん！　あいつめ、行っちまったな。この俺をただの酒屋の亭主だと思いやがって……。まあ、抜け目がないようでも、女のやることだ。（金貨を手に取り）多分なにかこんなことがありそうだって、俺はこうして居酒屋を開いて罠《わな》をはっていたんだが、まさかこんなどえらい魚がひっかかろうとは思いもよらなかったわい。やつめ、なにをあんなにうれしそうにペラペラしゃべっていたかよくわからんかったが、まあ、あの娘っ子が男に化けてあの陣に忍び込むってことだけは確かだ。多分、項羽か項梁《こうりょう》を殺そうってんだろう。ふてえやつだ。どれ、手遅れにならねえ先に、早速これを一つあの項梁《こうりょう》に知らせてやろう。どうにも評判の悪い野郎だが、天下なんかがどうなろうと知ったこっちゃねえ。俺はただ自分の懐《ふところ》があったかくなりさえすりゃ、それでいいんだ。（金貨をながめながら）あの娘は死なせたくねえもんだが、今の時代、かわいそうとかいっていられねえしな。（頭を振りながら引っ込む）

第2場

咸陽《かんよう》の近く、新城におかれた項羽の陣

高台にある城の中。三月のある夜。咸陽《かんよう》の街並みが眼下にながめられる。項羽、鐘離昧《しょうりまい》登場。

項羽《こうう》 おまえは、それを確かに見届けたのだな。

鐘離昧《しょうりまい》 見届けたなどといいますと、何やら私が待ち受けていたかのように思われますが、本当に偶然、出会っただけでございます。

項羽《こうう》 で、やつはその時、きさきの居間から出るところだったというのか?

鐘離昧《しょうりまい》 はい。もっとも、それが何のご用であったかは私の知るところではありません。それこそ疑うほどのご用であったかどうかもわかりません。ただ私はそこの垂れ幕がゆらいでいたのと、私をご覧になった時に項梁《こうりょう》さまのお顔色が変わられたのを見た、という事実を申し上げるのみでございます。

項羽《こうう》 ふん、おまえはそのようにわざとらしく控えめにいっているが、逆にその様子がおまえの腹の中を見せることになるのがわからんのか? 利口のようでも、家来は家来ということだ。

鐘離昧《しょうりまい》 他人に恐ろしい運命が降りかかろうとしているときに、その巻き添えになるのを喜ぶ人間はおりませんからな。ですがこのことには、何より確かなお妃《きさき》さまという証人が、おいでになるので

項羽《こうう》　……。
目は口よりも確実なものだ。目で見たことを、わざわざ口で確かめる必要もあるまい。つつしみ深い虞姫《ぐき》は、やつの命をあわれんで、やつが俺の留守を狙っては、我が妻に近づいていることを、口では語らないでいる。妃《きさき》は俺に嘘をつくわけにもいかず、といって事実を口に出してしまえば、あの叔父の首が、その日のうちに飛んでしまうことを知っているからだ。それをいいことに、あの恥知らずめ、あつかましく妃《きさき》にいいよろうとするのだ。

鍾離昧《しょうりまい》　だいたい美しい女というものは、自分が美しいという証拠を手にして、それに酔っていたいという欲求が強いものですからな。それをおさえられなくて、よく身持ちがわるいという批判もされるようですが。しかし私はこれまで、お妃《きさき》さまのようにお美しくて、しかもつつしみ深く、気品をお備えになったご婦人をお見うけしたことがありません。もちろん、それには……。

項羽《こうう》　あの叔父は、二つの意味で俺がここにいることを喜んでいないからな。俺も相手がなんの力のないあわれな老人なら、その者に敵意など持たない。だが、戦場で順調に勝ち進んでいるときなど、目の前にいる敵軍と後ろにいて足を引っぱる味方の連中、どっちが俺の本当の敵なのか、わからなくなることがある。もし叔父のやつに仕返しするなら、やつが俺にやったように、一番危険な場所で一番強い敵にぶつからせてやりたいな。

鍾離昧《しょうりまい》　しかしながら、あいにくそういう強敵が今は品切れになっています。また、いたとしても、その機会を待つ余裕がこちらにあるでしょうか？

項羽《こうう》　ならば、俺にはこの最後の手段が残されているだけだな。（鍾離昧《しょうりまい》の耳に何かささやく）わかったか？

鍾離昧《しょうりまい》　今晩だ、よいな？　俺はもちろん、こんなことをしたくない。ただ彼のおろかな運命が、自らこの結果を招いたのだ。

項羽《こうう》　じつにあの方もお気の毒なことですな……。ですが、これも身から出た錆《さび》で仕方ないでしょう。何、秘密を守ってさえいれば、表面的にとりつくろうことはどうにでもなります。

鍾離昧《しょうりまい》　いや、この項羽に秘密などいらぬ。皆に公表せい。

皆に公表……。そうなさることで、項羽さまの公明正大さがますます明らかになるでありましょう。（項羽に従って退場）

風が吹いてくる。間。項梁《こうりょう》、少年の変装をした殷桃娘《いんとうにゃん》をひきずって入ってくる。殷桃娘《いんとうにゃん》は髪をふりみだし抵抗している。

項梁《こうりょう》　さあさあ、もうそんながんばるのはやめて、おとなしくするのだ。もうこうして俺に捕まってしまったからには、お前がその細い腕でどんなにあがいても、クモの巣につかまった虫と同じで、おまえの破滅が近づくだけだぞ。（手を離し）なあ、俺はお前が白状しなくても、お前があの殷通《いんつう》の娘だということを知っているし、それにお前がわざわざ少年の道化に化けて、ここに忍び込んで来たってことで、おまえの目的が俺たちを殺すことだったということもばれているんだ。俺のしかけていた罠《わな》にかかったのが、不運だったとあきらめるんだな。（そっと殷桃娘《いんとうにゃん》の肩に手をかけると見せて、突然その手を彼女の懐《ふところ》にさし入れ、殷桃娘《いんとうにゃん》が「アッ」といって抵抗する間もなく剣を奪い取る）

ふん、こんなものを持ちおって！　だれかがお前を、こんなトゲを持つ痛々しい花にしてしまったのだな。（殷桃娘《いんとうにゃん》、城壁の外に身を投げようとして、項梁《こうりょう》の手から逃げようとするが、おさえこまれる）これ、なにをする！「神が放っておけない、かわいい子」というのはお前のような者のことをいうのだな。まあ少しは、気持ちを落ち着けるがいい。そして、まずはお前が鬼のように憎く思うこの項梁《こうりょう》が、戦場以外ではただの人情の厚い男に過ぎないということをわかっておくれ、なっ？　そもそもお前の正体を知っている者は、この陣中でこの項梁《こうりょう》以外いないのだぞ。そして誰も私らがここで話していることを知る者はいない。お前の秘密も運命も、この懐剣《かいけん》のように俺の手の内にあるんだよ。お前はあの蛇のような劉邦《りゅうほう》の妻にそそのかされて、いじらしくもそんな恐ろしい決心をしたのだね？　いや、お前が驚くのは無理はない。しかし、そんなことで驚くくらいなら、もしこの項梁《こうりょう》が実はお前の味方だったといったら、お前はどれだけ驚かなければならんだろうな。いやいや、お前が俺を疑うのはもっともだが、この項梁《こうりょう》はお前のような心の美しい者に嘘なんてつけない男なのだ。第一、お前の父親を殺したのだって、この俺はそんなつもりじゃなかったのだ。あの時、俺は後でどんなにあの項羽を責めたか、お前は知るまいよ。項羽のやつは、俺がただやつの目上の者だというだけで、俺を邪魔者にしていつも俺を殺す理由を探してるのだ。それだけじゃない、俺がやつの妻に邪《よこしま》な想いを持っていると信じこんで、俺を今にも殺そうとしているのだ。さあ、この懐剣《かいけん》を返してやる。これで、俺の代わりにあの悪者を殺せ。お前の仇《かたき》はまた俺の敵なのだ。まさに「先んずれば人を制す」だ。俺がやつの寝室に、お前を案内しよう。そしてお前がやつの心臓に剣を突き立てて、うまくとどめをさせたら、その時こそかねてから俺の望みど

ふん、こんなものを持ちおって！

おり、おおっぴらにお前を俺の妻に迎えられる。そのときは天下のすべての者が、お前の手柄を称賛するだろう。そして全てが俺の手に入る時がきたなら、お前は自然に王妃という身分になれるのだ。どうだ？　お前にとって悪くない話のはずだ。「うん」といってくれないか？　お前は知るまいが、適当な作り話をいっているわけじゃないのだ。あのひどいことがあったお前の館《やかた》で、悲しみに泣いていたお前をひと目見た時から、ずっと忘れずにいたのだよ。信じられないなら、信じなくてもかまわんよ。今はただ俺のいうことを聞いてくれさえすればそれでいいのだ。（殷桃《いんとう》娘《にゃん》黙っている。その肩に手をかけ）どうだ？　え？　あまりに急な話で、混乱しているおまえのその小さな胸では、今すぐに判断がつかないのも無理はない。いや、かえってすぐに軽々しく答えられるよりも、よく考えた遅い返事のほうが頼もしくもあり、奥床《おくゆか》しくもあるな。（殷桃娘《いんとうにゃん》、うなずく）おお！　お前はうなずいてくれたな。では俺のいうことを聞いてくれるということか。それは本当なのか。（殷桃娘《いんとうにゃん》、またうなずく）おまえが俺をだまそうとしても、俺がここから一声叫べば、おまえの正体なぞ、すぐに城全体に知れてしまうのだからな。

殷桃娘《いんとうにゃん》　でも、あなたは私をお許し下さったのではありませんの？

項梁《こうりょう》　おうおう、そうとも、許したとも。そんなことは決まっているじゃないか。ああ、俺は天下を取るよりも、お前のその言葉がうれしいぞ。いやいや、やつを殺すよりも先に、俺はまずお前が、俺のいうことを聞いてくれるという証を見せて貰わなければならんな。お前が俺と同じ望みを持つという誓いの印をな。ひとつみせてもらうとするか。さあ、こっちにおいで。（殷桃娘《いんとうにゃん》をひきずって幕の中に入る）

範増《はんぞう》　範増《はんぞう》、出てくる。
どうやら運命の荒縄《あらなわ》が大分もつれてきたようだ。それをほぐすには断ち切るよりほかなさそうだ。

項羽、うつむいて何か考えている。

範増《はんぞう》　項羽さま、何を考えておいでですか？

項羽《こうう》　範増《はんぞう》か。いや、俺はさっきから、ここからあの咸陽《かんよう》の街のちっぽけな明かりを眺めていたのだが、あの「西方の大帝都」と呼ばれた咸陽《かんよう》の小さいことはどうだ。もう少しこの俺が住むのにふさわしい街かと思っていたが、こんなに小さいとはな。俺がここから一声どなったら、あそこの地面がガタガタ揺れて、並んでいる家が全部つぶれてしまいそうだ。どれだ、あの見栄っぱりの始皇帝が、三千の美女を後宮にたくわえたとかいう阿房宮《あぼうきゅう》というのは？

範増《はんぞう》　(指さして) あちらのほうに、黒くて大きなラクダか何かのように見えるのが、それでございます。春になるとあの高い塔のまわりには、紫のかすみがたなびくと申しますが、あの途方もない宮殿を造《つく》るために、昼でも魔物が出るという蜀の全ての山の木を切りたおし、霊山といわれる崑崙《こんろん》の山からは宝石を取り尽くしてしまったと伝えられています。

項羽《こうう》　なら俺は一つ、その後宮を見てやろう。そして凡庸《ぼんよう》なやつにとって、人生最高の栄華と悦楽《えつらく》を集めたものが、この俺にどれくらい魅力的に見えるか試してやろう。

范増《はんぞう》　項王さま！　閣下に先立って、劉邦《りゅうほう》がすでにあの王宮に入りましたことをご存じありませんか？

項羽《こうう》　何、劉邦《りゅうほう》が入ったと！

范増《はんぞう》　はい。あの男はもう、自分を閣下の臣下とは思っておりません。あの男こそ、本当に油断してはならない危険な野心家だということは、私がかねがね申し上げておいた通りでございます。今回、自分が閣下より先に関中に入りまして、それからはその本性をあらわしてございます。彼は、もともと閣下の持つ百戦百勝のご威光があったからこそ、幸運も成功も手にすることが出来たはずですが、それにつけ上がって、今や「秦《しん》を滅ぼした者は自分である」などといい始め、図々しくも自分のことを漢王と呼ばさせております。

項羽《こうう》　あの臆病なやつがそんなことをしているのか？　まったく正気の沙汰とは思えないな。それは本当なのか？

范増《はんぞう》　あの男の傍若無人な態度を苦々しく思っておりますのは、私だけではありません。なんと、あの男は勝手に秦《しん》の三世皇帝の一族をゆるしたり、死刑をやめたりしています。その上、あろうことか、後宮の美女も残らず解放してしまったのです。

項羽《こうう》　何、解放した？

范増《はんぞう》　はい、なによりその証拠として、夜でも昼よりも明るく不夜城といわれた王宮は、今やすべての灯りがとだえて、あのように黒く見えてしまっているのでございます。

項羽《こうう》　出しゃばりめ。誰がやつにそれを許した？　命じてもおらん！　劉邦《りゅうほう》をここに呼び出せ。

范増《はんぞう》　それよりも明朝、閣下自ら全軍を率いて関中にご入城し、その上で鴻門《こうもん》に陣を張って、あの者を

どれだ、阿房宮というのは？

項羽《こうう》　なりませんので。

範増《はんぞう》　呼び出して厳罰に処したほうがよろしいと思います。いずれにせよ、我々は咸陽に入らなければ

項羽《こうう》　……しかし大王の行列が進む時、大王自らが先頭に立つものではない。必ずつゆ払いが本隊の前を進み、大王は中央にいて後に堂々と進んでいくものだ。当然、つゆ払いが関門を通過し得るのは大王のつゆ払いだからこそだ。そいつの力ではない。俺は劉邦《りゅうほう》を俺のつゆ払いだと思っていたから、やつが先に関中に入ったことを怪しみはしなかった。あいつは俺より一足先にそこにいって、後から入城する俺を迎える準備をしなければならなかったのだ。

範増《はんぞう》　ところがそのただのつゆ払いが自分の身の程を忘れ、自分が関中を攻め落として占領したような顔をして、自分勝手なことをしはじめているのです。もとから彼に謀反《むほん》をおこす野望があるのは、あの函谷関を硬く閉ざし、そこを大兵力で固めていることからも明白でございます。

項羽《こうう》　いや、俺にはやつが謀反《むほん》を起こすつもりだとは思えないのだ。おそらくそれは、他の外敵に対する備えではないのか？

範増《はんぞう》　もしそうでしたら、彼は自分を「漢王」と呼ばせるはずはありません。あやつはあらゆるこざかしい手段を使って、民の人気を集めることに一生懸命です。街中の家ひとつひとつに祝いの一時金を配ったり、牢屋に入れられている者を解放したり、税金を減らしたりと、まるで民にこびるかのようでございます。そして自分がどれだけすばらしい徳のある人間で、自分のような善人を王にいただくことが、民にとってどれだけありがたいことなのかを知ってもらおうと、必死なのでございます。

項羽《こうう》　ふん、小者のやりそうなことだ。つまりやつは後から来る俺のやり方と、自分のやり方を民に比べさせようというつもりなのだな。俺は秦《しん》の投降兵二十万を殺した。その前の暴君だった始皇帝と、ぼんくらな二世の例もある。びくびくしてなにもわからない民は、自分にとって都合のよいやつについていくに決まっている。おそらくやつは俺が始皇帝以上に残虐な人間であるという噂を、咸陽《かんよう》の民衆にながしていることだろうな。

范増《はんぞう》　はい、おそらくあの男は、近ごろ張良とか蕭何《しょうか》とかいう青二才のこざかしい連中を、うまいこといって集められたものですから、ますますうぬぼれが強くなったものと見えます。何もあわてて首をとるほどのやつではありせんが、惜しがって生かしておくほどでもない、つまらないやつでございます。閣下の敵にふさわしいものが、いつどこで出てくるかわかりません。邪魔になりそうなものは、小さいうちにつぶしておいたほうがよろしいかと存じます。

項羽《こうう》　(あちこち歩きまわりながら)……春らしい風が出てきたな。そんな陽気がやつのような小者の頭をのぼせさせて、くるわせているのだろう。あわれな劉邦《りゅうほう》め、きさままでがとち狂って俺の征服の材料になろうというのか。俺は、きさまが少しは話が通じるやつだと思って、末長く目をかけてやろうと思っていたのに。そしてそのうちきさまには、特別なほうびを与えてやるつもりだったのだがな。しかしやむを得ぬな。范増《はんぞう》、英布《えいふ》に相応の兵をあたえ、今宵のうちに函谷関をぶち破らせせろ。俺は項梁《こうりょう》を……いや、お前を使いにやってすべてをもとの形に戻させることにしよう。法令をぜんぶ秦《しん》の法令に戻し、税金ももとのようにし、そして三千の宮女を再び後宮に入れさせろ。そこで俺みずからが関中に入って、改めてどんなやり方をするかを示してやろう。ふん、俺

が何をしようと、反対など誰もできはしないのだ。（退場しようとする）

范増《はんぞう》 （引き止めて）急がねばならぬところでございますが、閣下にもう一つ申し上げたいことがございます。閣下は「何回同じ事を聞かせるのか？」とおっしゃるかもしれませんが、私は心より閣下にとって役に立つこと、そしてわが軍のためと思って申し上げるのでございます。

項羽《こうう》 何のことだ？

范増《はんぞう》 毎度申し上げております、例の韓信《かんしん》のことでございます。あの男をもう少しお取り立てくださいますよう。このさき何の役にも立ちませんでしたら、私は自分の不見識《ふけんしき》をつぐなうために、このしなびた首を溝の中に投げ捨てられても構いません。

項羽《こうう》 范増《はんぞう》、お前がそれほど、あの「股くぐり」にほれ込んでいるなら、おまえがやつを自分の家来にしたらよかろう。俺はそこまで、やつをほしくはないぞ。

范増《はんぞう》 閣下は人間を軽く見過ぎておられるのではないでしょうか？　ならず者どもの股をくぐったということにしても、見方によってはかえってあの男の非凡さが現われております。

項羽《こうう》 確かにな。だが、この項羽がまねできないようなことをしたということは、少しもえらいことをしたということにはならないぞ。ひとりの股をくぐるまでならまだわかる。しかし二人目、三人目の股をつづけてくぐるときに、けり倒されても起き上がれないというのはどういうことだ。おまえはまた、そこがやつの優れたところだというかもしれんが、俺は人を評価するときに良く見過ぎることはあっても、みくびることはないぞ。おまえは自分の目が、この項羽の目よりも正しくてよく見えているとでもいうのか？

范増《はんぞう》　まさか、そんなことはございません。しかし偉い人間は、ときおりその偉さのために、ものを見違えることもございます。かえって同じくらいの者同士のほうが、適当な見方をすることも少なくありません。

項羽《こうう》　それもそうだな……。ではやつを護衛兵にしてやれ。そこでやつの見せた実力次第によっては、またその上の役に取り立てることにしてやろう。よいな。（去る）

范増《はんぞう》　護衛兵！　なんというひどい役だ。そんな役で、あの男にその腕前を示せというのは、まるで虎を檻の中に入れてその能力を見せろというようなものだ。もしそこでやつがその地位に不満を抱いて、人をひきつける徳を持つ劉邦《りゅうほう》の下《もと》にいってしまったら、それこそ大変なことだ。やはりどうしても、劉邦《りゅうほう》は今の内に殺してしまわなければならんな。もしそれにしくじったら、どんなに惜しくても、あの韓信《かんしん》を殺すかどうにかしなければならないだろう。閣下が今日まであの叔父どのを殺さずにきたのはまあよかったが、これからどうなることか。どうやらわしの心配していたことが、いよいよ現実になりそうな気がしてきたわい。（退場）

突然項梁《こうりょう》のうめき声が聞こえ、そのあとどやどやという騒ぎが聞こえる。殷桃娘《いんとうにゃん》、血に染まり、気が狂ったように幕の奥から飛び出して、そのまま欄干《らんかん》を乗り越えて姿をかくす。

（幕）

第3場　関中、覇上にある劉邦《りゅうほう》の館の前

正面の段上に劉邦《りゅうほう》、その傍らに蕭何《しょうか》、樊噲《はんかい》、夏侯嬰《かこうえい》らが控えている。舞台の左右には劉邦《りゅうほう》を守る大勢の護衛兵がおり、数名が赤い旗を立てている。その旗には、太陽をくわえた金の龍が縫い上げられている。その他の者は槍を捧げ持っている。前面には咸陽《かんよう》の民が集まって騒いでいる。

町人一　漢王さまに、お願い申し上げます。どうか鴻門《こうもん》においでの件、なんとかお見合せくださいませ。

町人二　項王は、漢王さまを酒宴に招くといいながら、きっと漢王さまに危害を加えるに決まっております。

町人三　おそれながら、漢王さまがその会においでになったが最後、ご無事にお帰りになるのは、とても難しいことと存じます。これでもし二度と漢王さまのお顔を拝めなくなってしまったら、生きている楽しみがなくなってしまいます。どうか、このご出発だけは思いとどまってくださいませ。

樊噲《はんかい》　こらッ。ふとどきなことを申すな。「二度と漢王さまの龍顔《りゅうがん》を拝することができまい」などと、何をいうか。漢王さまの傍《かたわら》には、この樊噲《はんかい》がいることを知らないのか。

劉《りゅう》邦《ほう》　いや、お前だって内心では彼らと同じように恐ろしいのだろう？　怒ることはない。

町民ら　（かわるがわる）どうかお止《とど》まりください。あなたさまを失っては、私たちの生きる場所がなくなっ

劉邦さま、どうか、このご出発だけは思いとどまってください

てしまいます。私たちは暴君の下で生きのびるくらいなら、いっそ死んだほうがましでございます。漢王さまは私たち民衆の親です、救い主です。

劉邦《りゅうほう》　おまえたちの言葉、本当にありがたい。俺とて行きたいわけではないのだ。だが、行かなければならない。

町民四　どうしても、お断りになることはできないのでございますか？　項羽はあなたさまの人徳をねたんでおります。そのうえあの男は自分の叔父さえも暗殺する、かつての桀紂《けっちゅう》のような男でございます。

女一　（子を抱いて）まったく罪のない私の夫は、漢王さまのお慈悲で牢獄から出していただいて、私たち一家のものがやっと喜び合っていたのです。それなのにあっという間にあの暴君は、また夫を何の理由もなく牢獄にぶち込んでしまいました。私たちは夫と主なしには生きていくことはできません。見てください！　子供はこのようにひもじくて泣いております。（すすり泣く）

町民五　私たちは、この重い税の負担に耐えられません。

若者　私の父は、項羽が気まぐれで皆殺しにした秦《しん》の投降兵二十万の中にいました。父の死後、私の家はつぶれ、母親は気がふれてしまいました。

女二　あなたさまは、私たちが死ぬしかない絶望の中からお救いくださったのです。あなたさまがこの咸陽《かんよう》にお入りになったとき、私たちはそれまでの恐怖と苦しみしかない暗く長い夜が明けて、温かい日の光をいただいたような気になりました。それなのに息をつぐ間もなく、前よりもまして恐ろしい黒雲が襲ってきています。それは今や、あなたさまの上にもおおいかぶさってきている

町民二　のです。私たちはいったい、どうしたらいいのでございましょう。

あなたさまはご自身の運をお試しになるおつもりかもしれません。でもあなたさまによって生かされている私たちにとって、それは生き死にの境目に放り込まれるのと同じことでございます。

あなたさまのお身体はご自身のものなのですが、同じようにわれら万民のものだということを、お心にお留めいただきたいのございます。

蕭何《しょうか》　これこれ、もういい加減にしないか。お前たちは漢王さまの御身《おんみ》を案ずるようなことをいいながら、結局自分たちのことばかりいっているではないか。おまえらは、そんなことをいうことが漢王さまをどれだけお苦しめ申し上げているかを知らないのだ。少しは漢王さまのお心にもなってみろ。

劉邦《りゅうほう》　お前たちがいうことなど漢王さまは百もご承知だ。

お前たちが自分らのことしか考えられないのは無理はない。だが、それより俺をもっと苦しめるのは、お前たちが俺をかいかぶっていることだ。俺がこの立場にあるのは、ただ運がよかったに過ぎないのだ。しかしお前たちは、これまで残酷で高貴な君主しか知らなかったから、はじめてお前たちとほとんど変わらない俺を見て、めずらしがって徳の高い人間のように思いこんでいるだけなのだ。だが、お前たちがあのようにひどく痛めつけられる様子をみて、まともな人の心をもっていたら、ああするよりほか考えられない。俺はただあの場合、誰でもするようなことをしたまでのことだ。人から褒められたりするようなことをした覚えは全くないのだ。

老人　あなたさまともあろうお方が、ご自分にどれほどの徳が備わっているのか、ご存知ではないはずはありません。けれども、それよりもっと大きくて奥深い美徳が、あなたさまの中におありであることにはお気づきではないのです。

劉邦《りゅうほう》 それならば俺はお前たちに白状するしかない。お前たちは俺の中にある不徳、例えば俺がとても臆病であることを知らないのだ。項羽を恐れていた俺は、思いきったことをするのを恐れていた。しかし、お前たちのひどい様子を目の当たりにした時、怒りが俺の胸の内から、かたい殻を打ち破って出てきたのだ。俺は、もし自分がやらねばならぬと感じた通りにやったとしたら、項羽をひどく怒らすだろうとわかっていた。しかしそのとき俺は、項羽を恐れる心を恥ずかしく感じた。俺が今まで感じたことがない、死に物狂いの力と勇気が、自分の中にみなぎってきたのだ。そのとき、おれは何も恐くなかった。しかしな、その勇ましい炎は長持ちしなかったのだ。そして今では、俺はまた……（頭をおさえる）俺はお前たちに愛される資格がないばかりではない。まだお前たちを愛する力さえないのだ。（声を荒げて）民よ。俺がお前たちを愛しているなどと思ってくれるな。俺はまだお前たちを本当に愛することができないのだ。愛してはいないのだ！

町民ら （嘆き叫んで）あなたさまが私らを愛して下さらない！　なんと！　それが本当なら、私たちは呪われている。そのお言葉は、私たちには「死ね」というようなものです。ご謙遜にもほどがあります。

老婆 （進み出て）あなたさまは、そのようなことを今になっておっしゃることがどんなに罪なことであるか、お分かりにならないのでございますか。運命はせまっております。私たちはそんなお言葉をうかがっている暇はございません。私の唯一人の娘は、またもあの悪魔がすむような後宮につれていかれてしまいました。もともと天使のような清い心を持った子でございました。それがこ

劉邦《りゅうほう》　の間のありがたいご赦免《しゃめん》で出てまいった時には、親ながら目をそむけたくなるほどいやらしく、そして心が腐った女に変わってしまっておりました。私はこの齢《とし》になって、かわいい娘がどんどん堕落《だらく》していくのを、何も出来ずに見続けなければならないのでございます。

劉邦　いや、お前にそういわれると俺はますます苦しい。俺はこの間、あの後宮《こうきゅう》へ入って、そこに勢ぞろいした美しい女たちや、驚くほどのきらびやかで贅沢と悦楽《えつらく》を極めた部屋をみた時、やはりそこにつよく誘惑されそうになったのだ。俺は始皇帝や、そのぼんくら二世を責める資格が、自分に少しもないとを感じた。「やつらはただ、俺よりもずっと無邪気なだけだったのだ」と思った。力を持つということは恐ろしい。俺は、強く惹きつける快楽への誘惑と必死に戦った。美しくもいまわしいあの悪魔に魅入られていくようなあの時の感じは、今思っても恐ろしい。しかし幸運にも、一人の美しい女が、そんな俺をその誘惑から引き戻し、目覚めさせてくれた。その女から泣いてあわれな身の上を話された時、俺はすぐにそこにいる全ての不幸な女を、後宮から解放せずにはいられなくなったのだ。あの時くらい俺は嬉しかったことはない。俺は自分自身を解放したからだ。

女二　しかし項羽はあなたさまを解放しません。項羽は今晩にもあなたさまをつかまえて殺そうとしております。

劉邦《りゅうほう》　（顔をしかめて）俺は殺されるかもしれないが……、なにやら殺されないような気もする。確かに恐ろしいことは、恐ろしい。しかし俺は、何となく運命に守られてる人間のような気もするのだ。

老人　しかし暴力は相手かまわずふりかかってくるものでございます。

劉邦《りゅうほう》　黙れ！　お前たちは項羽もまた人間だということを忘れているのだ！　そしてまたこの劉邦《りゅうほう》の中にも、暴君が潜んでいることを忘れている！

町民一　しかし東南の空はまっ黒でございます。なにやら恐ろしげな、ものすごい黒雲が一面にはびこっております。あれは確かに不吉の前ぶれに違いございません。

町民二　本当に気味の悪い空の様子です。私たちは何とお叱りを受けようとも、鴻門《こうもん》においでになることだけは思いとどまっていただくよう、申し上げずにはおられません。

一同　（平伏して）どうか見あわせくださいませ。お願いでございます。

劉邦《りゅうほう》　（うなずいて）うむ、しかし西の空を見ろ。あんなに明るく輝いているではないか。おそらく俺は助かって帰ってくるだろう。孔子は大樹の下で礼を弟子たちに説いているときに、彼を殺そうとした桓魋《かんたい》に対して、「天は徳を我にお与えになった、桓魋《かんたい》がそんな我をどうすることができよう！」といったではないか。俺は今、彼の偉大さが本当にわかった気がする。しかし俺も男だ。いざとなれば男気というものが湧いてくる。恥知らずにはなれない。俺はとうてい孔子の足元にも及ばない人間だが、そんな俺でも少しは積み上げてきた徳というものを持っているつもりだ。これは俺がたゆまず心がけ、努力し、そして力で勝ち取ってきたものだ。そして、この徳だけは、力づくでも誰も奪い取れないものなのだ。たとえこの俺の身体が誰かの剣の下に倒れることがあろうと、またこの徳自体が大したものでなかったとしても、消えることなく残り続けて、俺を愛してくれたお前たちが、希望を持つ手助けに少しはなるだろうよ。項羽が、何だ！

張良登場。

張　良《ちょうりょう》　時間でございます。そろそろご出発なさるのがよいかと。

劉　邦《りゅうほう》　そうか。では行こう。（立ち上がる）

町民たち　ああ、どうしてもお出でにならなければならないのでございますか？　もうこれが最後のお別れになるのでございましょうか？　（女たちは泣く）

樊噲《はんかい》　ええい、黙れ！　たとえこの身は粉みじんになったとしても、俺が誓って、漢王さまのお身体に、ひとつだってお怪我させないぞ。この樊噲《はんかい》のいる限り、漢王さまのお身体に指一本でも触れる者がいたら、俺はそやつの生首を引っこ抜いてくれる。安心しろ。

夏侯嬰《かこうえい》　なにとぞ私もお連れください。私はあくまでも漢王さまと生死をともにしたいのです。

張　良《ちょうりょう》　いや、君は残ってくれたまえ。そんなに大勢で行っても、ただ向こうの敵意を刺激するばかりです。私に考えがありますから。万事、私におまかせください。

蕭何《しょうか》　とにかくこちらのことはなるべく語らずに、向こうの機嫌や、近況などをどんどんきいてやるに限ります。自分のことばかりしゃべりまくることほど相手の感情を害することはなく、また親しくこちらの機嫌をいろいろきかれるくらい、人にとって愉快なことはございませんから。

劉　邦《りゅうほう》　俺はもうすべてを天に任せている。俺はもう後へ引くことはできない。また今さら、天の与えてくださる試練から逃げようとも思わない。俺がなお生きるに値するものなら、天は俺を殺しはしまい。もう「天よ、お望みのままに」と祈るより外はないし、全力を尽くすだけだ。進むより外はないのだ。もう、何もいってくれるな。

張良《ちょうりょう》　（蕭何《しょうか》と夏侯嬰《かこうえい》らに）では諸君、留守の警戒をしっかり頼みますぞ。

蕭何《しょうか》　天のご加護を信じてご無事のお帰りをお待ちしております。そこまで、お見送りいたします。

劉邦《りゅうほう》、町民にあいさつしながら右手に退場。張良、蕭何《しょうか》、樊噲《はんかい》らそれに続き、護衛兵たちもまたそれに続く。町民ら、泣き、わめき、「漢王さま万歳」を呼ぶ。「天よ、漢王さまをお守りください」と祈る者、「天よ、暴君を滅ぼして、我らをその手から救い出してください」と祈る者。またある者は「なんとか無事に帰ってきてくれるといいのだがな。今夜はこちとらも心配で夜明かしだ」とか「漢王のことだから、しぶとくすり抜けて無事に帰ってくるかも知れねえよ」とか、それぞれいいながら、がやがやと右手へ退場。それに続いて、また二人ばかり追って出て、劉邦《りゅうほう》の去った方角に石を投げつけ「あの嘘つき野郎！　首だけになって城門にさらされてちまえ！」という。

（幕）

楚

鴻門《こうもん》の会

先に秦の本拠地である関中に入った者が王となる盟約。一番乗りを果たした劉邦《りゅうほう》に対して、力にまさる項羽《こうう》はそれを認めず、両者は鴻門で会見。劉邦《りゅうほう》は項羽《こうう》への忠誠を誓い、殺害をまぬがれた。

項羽と劉邦

漢 第三幕

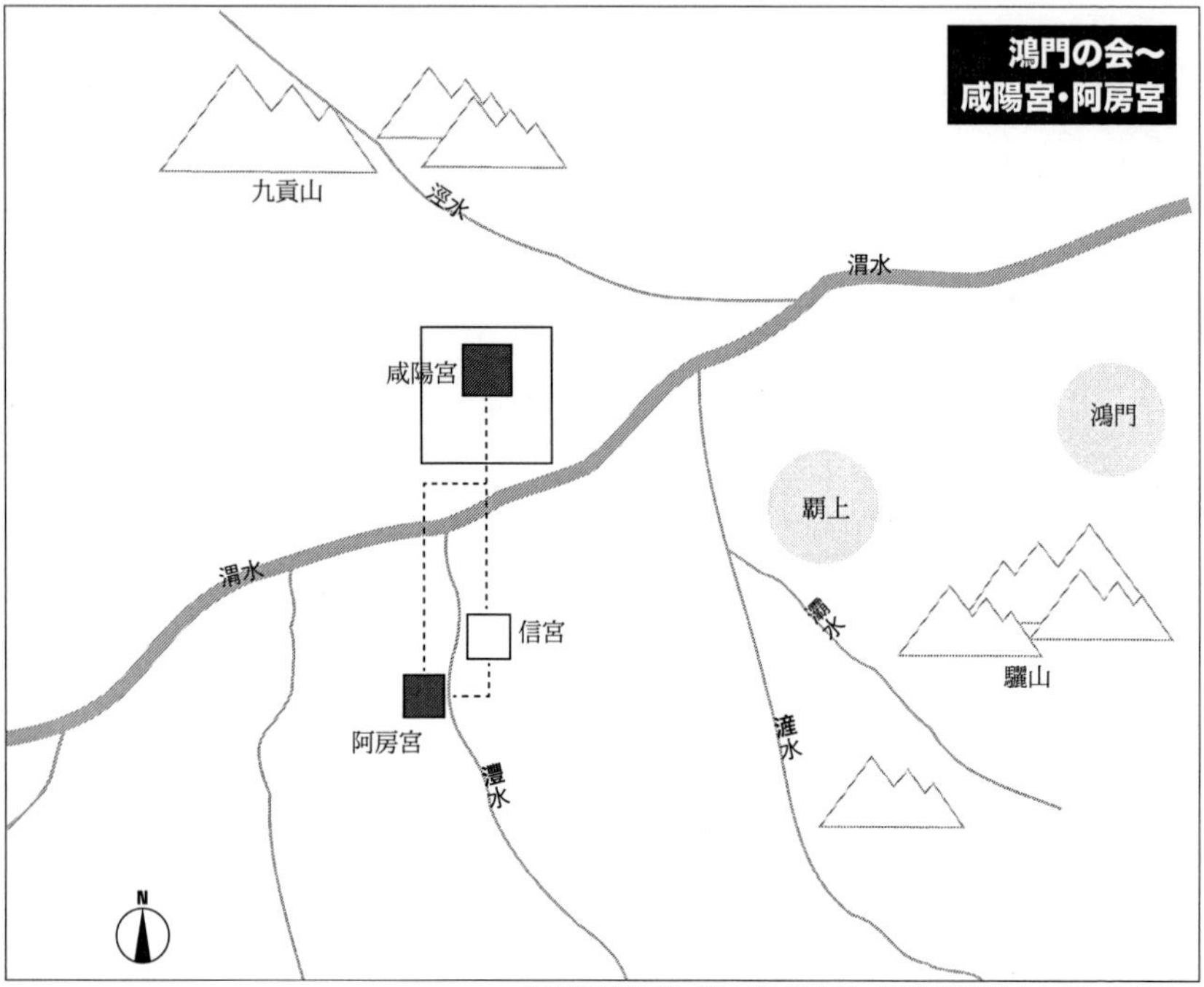

『夏商周考古学』(井中偉・王立新／科学出版社)を参考に訳者作成

第1場

関中、鴻門《こうもん》にある項羽の館

壮麗な館の大広間。正面の一段高い壇に項羽および虞美人《ぐびじん》の座が設けられている。後方には陣幕が張られ、左右には多くの席が置かれている。また立派な燭台《しょくだい》が並べられている。前方には四本の彫刻された柱。その前は廊下となっている。范増《はんぞう》と鐘離昧《しょうりまい》が廊下に登場する。

范増《はんぞう》 どうしても今夜のうちに、あの男をやってしまわなければならない。こんないい機会はまたとないじゃろう。

鐘離昧《しょうりまい》 どうでしょう。うまくいくでしょうか？

范増《はんぞう》 うまくいくかいかないかというよりも、「絶対うまくいかせる」と心に決めてその準備をぬかりなくしなければならんのじゃ。大王がわしのはかりごとを採用して、その通りにやってさえ下さればまず間違いはないはずじゃが……。うっかりここでやりそこねて、あの蛇を取り逃がしでもしようものなら、もうおしまいじゃ。天下は必ずやつの手にころがりこんでしまうに決まっておる。

鐘離昧《しょうりまい》 あなたは本当にそう思っているのですか？

范増《はんぞう》 わしは、はじめて彭城《ほうじょう》であの男を見た時、「最後の勝利を手にするのは、こいつかもしれない。

大王の本当の敵は、劉邦《りゅうほう》のほかにはない」とにらんでいたのじゃ。あの男を見るまでは、わしは大王の成功に何の疑問ももっておらんかった。だが、それからというもの……これはここだけの話だがな……。

鐘離昧《しょうりまい》　（傍白）なに、自分の乗っている船が危くなれば、他の船へ飛び移るだけの話だ。（范増《はんぞう》に）何、あなたが長生きして、大王があなたのいうことを用いている限りは、鬼に金棒で楚《そ》の天下はゆらぎませんよ。大丈夫。

范増《はんぞう》　ところが、わしとて老い先の短い身体だし、それに大王はやがてこのわしを煙たがるじゃろう。わしのいうことが正論であればあるほど、わしの言葉を無視するようになっていくじゃろうよ。君にはいうが、大王を亡ぼす者があればそれは大王ご自身だ、劉邦《りゅうほう》でも誰でもないとわしはみているのじゃ。

鐘離昧《しょうりまい》　しかし大王に多少の短所があったにしろ、目の前の劉邦というわざわいを除いておけば、……だが、あいにくこちらの大王、自分の評判を悪くするようなことばかりやらかすからなあ。逆に、ただやつを殺すだけなら訳もないことだが、その相手があれだけ徳望《とくぼう》のあるやつとなると、無茶なこともできなかろうというわけですな。

范増《はんぞう》　今からいっても取り返しはつかないが、あの項梁《こうりょう》を殺した時に、すぐそれを劉邦《りゅうほう》の命じた暗殺であるということにしてしまえば、そんなに困ることもなかったんじゃがな。

鐘離昧《しょうりまい》　ところが、うちの大王、つまらん見栄をはって「暗殺したことまで公《おおやけ》にしろ」というのだから仕方ないですよ。大王のすることときたら矛盾だらけだ。

どうしても今夜のうちに

范増《はんぞう》　わしは昨夜、悪い夢を見たんじゃ。わしが大王とあの阿房宮《あぼうきゅう》の庭園を歩いていると、炎の中から一匹の小さい毒蛇が現われおってな。大王はそれを踏まれたが、その小蛇のやつめ、いくら踏んづけても執念深く生きておって。何度もヌラヌラと靴の下からはって出てきよるのだ。わしは「それは毒蛇だから、絶対お殺しになったほうがいい」と申し上げたのだが、大王は「こんな虫けらに、俺の剣を使うのはけがらわしい」とおっしゃって、そのままその毒蛇を草むらの中に蹴り込んでおしまいになったのじゃ。すると間もなく、放り込んだ草むらの中から恐ろしい黒雲が立ちのぼって、一匹の赤い龍が炎のように天に昇っていくのをわしらは見たのだ。さすがの大王もこれには顔色を失われたが、そこでわしは目が覚めてしもうた。

鐘離昧《しょうりまい》　いつもながら、あなたの忠義の心には恐れ入ります。私には、他人のことでそんな不吉な夢を見るなんてことはありませんし。おや、英布《えいふ》があいかわらずのしかめっ面でやってきました。

英布《えいふ》　(登場)先刻《せんこく》から、諸国の使節たちがあちらでお待ちです。

范増《はんぞう》　そうか。では、わしがここへ案内しよう。あなたはそのことを大王に申し上げてください。どうもおちつかん。今夜のような夜はわしもはじめてだ。(右手に退場)

鐘離昧《しょうりまい》　爺さん、かわいそうに一人で気をもんでいるなあ。(英布《えいふ》と肩をくみ)だがなあ相棒、考えてみるとあまりにすごいやつと同じ時代に生まれるというのは損だね。もし、ここの将軍や劉邦《りゅうほう》のような人間が生まれてなければ、俺たちも立派にひとかどの英雄の仲間入りして、歴史にも名前が残ったかもしれんがな。あいにくあれだけデカいのが俺たちの上にどかっと座っているんだから、お互いまず一生かけても上がっていけっこないよ。

英布《えいふ》　「お互い」ってのはよしてもらおう。俺はまだ二十五なんだからな。

鐘離昧《しょうりまい》　ふん、若いことを自慢にするようなやつが、これまですごい人間になったためしはないさ。一生何もできないでボヤボヤしてるやつに限って、「俺はまだ若い若い」とかぬかしやがる。（向き直り）そりゃそうと、さっきお主が、将軍に申しつけられていたのは何だったんだ？　ほうびの話ではないのか？

英布《えいふ》　まあ、恩賞の話が出たとこで、お主にろくなほうびがあるわけないだろう。ガツガツするもんじゃないさ。いや俺が命令された用事というのはな、今度天下にある神をまつった社《やしろ》を全部ぶちこわし、そこにあった銅像を集めて溶かして、馬鹿でかい大王の像を造れというのだ。とはいっても、俺はいま忙しい。また会おう。（急いで左に退場）

鐘離昧《しょうりまい》　へっ！　それを俺たちにそれを拝ませようというわけか。いつも自分のことばかり考えてやがって……、アホらしい、いったいいつになったら、こっちにいいことが出てくるってんだ？　こう貧乏くじ……（考えながら）いやしかし、今夜は見ものだぞ。（右手に退場）

王妃の服を着ている虞姫《ぐき》、急ぎ足で入ってくる。

虞姫《ぐき》　これ、鐘離昧《しょうりまい》。

鐘離昧《しょうりまい》　（戻ってきて膝をついて礼をする）はっ、これはお妃《きさき》さま。

虞姫《ぐき》　用意はできましたか。

鐘離昧《しょうりまい》　ご覧の通り、ととのっております。

虞姫《ぐき》　劉邦《りゅうほう》はまだ来ないのですか？

鐘離昧《しょうりまい》　殺されることがわかっている牛は、ひかれていく時に足を突っ張ってあらがうといいます。あの男も、何か虫の知らせで、足が前に進まないのでございましょう。

虞姫《ぐき》　いっそ時間におくれてくるほうが、こちらには都合がいい。そうすれば、それも罰を増やす理由になる。見てきておくれ。

鐘離昧《しょうりまい》、礼をして去る。残った虞姫《ぐき》、何か考えている様子。少年の変装をした殷桃娘《とうにゃん》、二人の女官とふざけながら登場。

女官一　お妃《きさき》さま、こちらにいらしたのでございますか？

女官二　お探し申しておりました。

殷桃娘《いんとうにゃん》　ご機嫌うるわしゅう。

虞姫《ぐき》　ああ、金祥鳳《きんしょうほう》。お前はいつも気楽でいいね。いつも愉快そうな顔をしているね。

殷桃娘《いんとうにゃん》　私の目にはいるものは、すべて笑いかけてくるように見えるのでございます。お妃《きさき》さまのお目には、すべてのものが青い顔をした鬼のように見えるものと。まことにお気の毒なことで。

虞姫《ぐき》　本当に私は、お前の気の持ちようがうらやましいよ。でもね、私はおまえのようにきれいな男をみたことがない。まあなんという、つやのあるいい髪の毛なんだろう。お前はあの後宮へ行くと、

お前はいつも気楽でいいね

殷桃娘《いんとうにゃん》 きっとあそこの女たちにねたまれるに違いないよ。

いいえ、後宮まで行かなくとも、ここでこんなにうらやましがられていれば十分ですよ。同じ男に生まれても、男としての人生の味わい方はいろいろありますからね。大王さまのように天下の男たちの征服者になる者もいれば、私のように、天下の女たちの征服者になる者もいます。いや、私は大王さまを羨ましいとは思いませんよ。あの人のように一生「力」を追い求めて送るのもいれば、私のように一生「美」を求めて送るものもいるのです。

女官一 お妃《きさき》さま。私たちの間では、じつはこの人は女だろうといううわさなんでございますよ。

殷桃娘《いんとうにゃん》 あっはは。いやいや、お疑いになるのも無理はないです。何を隠そう私は皆さんのおっしゃる通り、実は女なんですよ。（笑う。わざと女らしく腰をふって踊《おど》ってみせる）どうです。これでも男だと思いますか？

虞姫《ぐき》 （扇子で殷桃娘《いんとうにゃん》を軽くたたき）これこれ、このお調子ものめ。私はそんなわざとらしい、はしたない女の真似なんて、今は見たくありませんよ。私は今夜、大王さまの面倒なかんしゃくに火をつけなければならないんですよ。いいかい、金祥鳳《きんしょうほう》。私はあとで、あの方の前でお前に口づけをするのです。あの方はそんなことで腹を立てるのを恥だとお思いになって、そこでは我慢なさるが、そのかんしゃくを劉邦《りゅうほう》にお向けになるでしょう。あの方は、ご機嫌がお悪い時は、おそばではらはらするようなこともなさるけれど、かんしゃくがしずまっておいでの時は、妙におやさしくなって、なさらなければならないことさえなさらずにお許しになる。まったく私が頼みにするのは、あの范増《はんぞう》だけです。范増《はんぞう》はどこにいるのでしょう？

殷桃娘《いんとうにゃん》　ちょうど向こうからやってきましたよ。

范増《はんぞう》、諸国の使節を案内して入ってくる。使節たちはそれぞれ祝いの捧げ物を献上する。虞姫《ぐき》はカーテンの後ろにかくれながら、彼らの様子をうかがう。

范増《はんぞう》　（広間の中の左右の席に、それぞれ案内して）どうぞ皆さま、席におつきください。大王はただ今まいります。

項羽、左手より王の礼服を身につけて登場。英布《えいふ》、項荘《こうそう》、桓楚《かんそ》らの諸臣、そのあとに従う。虞姫《ぐき》は項羽が見ているのを知りながら、わざとカーテンのあいだから中をのぞいている。

項羽《こうう》　（虞姫《ぐき》の肩を笏《しゃく》で軽くたたき）女みたいな真似をしているではないか。

虞姫《ぐき》　あなただって私の部屋をおのぞきになることがおありになるくせに。

項羽《こうう》　（ムッとするのをおさえて）俺たちは今や、王と王妃だ。それを忘れてはいけない。まあ来い。俺の美しい人よ。今夜は大いに笑おうではないか。（広間に中に入る）

虞姫《ぐき》　あの方は王者の味わう喜びに飢えていらっしゃるのだわ。（広間に入り、項羽と並んで正面の席につく）

諸国の使命、膝をついてお辞儀をする。項羽と虞姫《ぐき》、尊大にその礼を受ける。

使節たち　王さま、王妃さま、ご機嫌うるわしゅうございます。今日のご盛典をお祝い申し上げます。

項羽《こうう》　と同時に、明日の滅亡も祝うのかな？　ははは。（冗談のように）だが項羽は始皇帝のようなもろい亡び方をすると思っていると大間違いだぞ。あまり、それを望み過ぎんほうがよい。今からいっておく。

使節たち　そんな！　めっそうもございません。国王からもつつしんでよろしく申し上げてくるようにと、おおせつかってまいりました。

項羽《こうう》　何だ？　そのほうたちは皆ただの使節なのか？

使節一　（あわてて）始皇帝の即位式も、参列した者は皆、国王の代理でありました。

項羽《こうう》　王に先例などないわ。（使節たち、青ざめてたがいに顔を見合わせる）だが即位そうそう、俺は小言をいたくはない。俺は特別の恩を与え、今日はそのほうたちに俺への拝謁《はいえつ》を許してやる。

使節たち　私たちも、このような過ぎた光栄にあずかれるとは、予期しておりませんでした。（それぞれ、持参の献上品を項羽の前に持ってくる）ささやかではございますが、お祝いの品でございます。お納めくださいませ。

項羽《こうう》　うむ、受けとっておくぞ。よしよし、どうせ俺にとってはそのほうたちの君主だろうと、そのほうたちだろうと、たいした変わりはないからな。王の目にはちっぽけな区別など存在しないものだ。では、そのほうたちはゆっくり休むがよい。

鐘離昧《しょうりまい》　（登場）劉邦《りゅうほう》が参りました。

項羽《こうう》　そうか、よし、末席《まっせき》に座らせろ。（使節たちに）俺は今夜、わざわざ遠くから来たそのほうたちに、よい土産を見せてくれようぞ。

鐘離昧《しょうりまい》、出て行こうとして、廊下のすみにたたずんでいる殷桃娘《いんとうにゃん》に気づき、からかうように彼女の顔を軽くさわって退場。

殷桃娘《いんとうにゃん》　（鐘離昧《しょうりまい》の後ろ姿をにらんで）気持ち悪いやつ。それにしても、まだ私に気づかないのか？　ああ今夜こそ、私はあのお方をお助けしなければならない。神よ、私に一生ぶんの勇気をください。

范増《はんぞう》　（殷桃娘《いんとうにゃん》のそばに来て、その耳にそっとささやく）――うんとすすめて酔わすのじゃ。大王の杯とかわるがわる酒を注げば、やつも酒を疑うことはなかろう。それに、あの男は大酒のみだからな。酔ってしまえば、その間に自分からなにかやらかすにちがいなかろうよ。よいかな。（項荘《こうそう》や桓楚《かんそ》たちに）おぬしたちはこのカーテンの裏に隠れておれ。わしがすきを見て合図をするからな。（廊下のむこうを見て）む、やつめ、面倒なやつを連れてきておるわい。

項荘《こうそう》、桓楚《かんそ》らカーテンの裏にかくれる。

殷桃娘《いんとうにゃん》　（廊下の向こうから劉邦《りゅうほう》が来るのを見て驚いて）ああ、なんと気高くすてきなお姿なの！　老いぼれめ、そんなことを私がすると思うのか。逆に項羽にたくさん注いでやって、あの方の杯には注ぐ真似だけにしてやる。

劉邦《りゅうほう》、張良を従え、鐘離昧《しょうりまい》に案内されて登場。

劉邦《りゅうほう》 （礼をして）久しぶりにお目にかかれてうれしく存じます。

項羽《こうう》 おお、劉邦《りゅうほう》、俺も久しぶりにそのほうのひげ面を見れられてうれしく思うぞ。（使節たちに）聞け、そのほうたち。関中にはな、いまや二人の王がいるのだ。そしてこれが漢王だ。

劉邦《りゅうほう》 ……。

虞姫《ぐき》 まあおかけなさい、劉邦《りゅうほう》。（張良に）おまえも。

項羽《こうう》 どうだ、劉邦《りゅうほう》。うむ、そのほう、ずいぶん寒いと見えるな。蒼い顔をしてふるえているじゃないか。

劉邦《りゅうほう》 はい、今はまだ一月だからでございます。

項羽《こうう》 （満足げに）ふむ、感心なことに、そのほうはそれをわかっているわけだな。

使節 恐れながら…、今は三月の末だと存じますが、一月だからとはどういうことでございましょうか。私たちの国では、もう桃の花が咲いております。

項羽《こうう》 ああ、桃の花はこの咸陽《かんよう》でも咲きほこっておるわ。では改めてそのほうたちに告げるとしよう。俺は昨日から紀元を改めて、年号を大楚《そ》とした。昨日はすなわち大楚《そ》元年一月一日、今日は二日だ。新しく天下をにぎる者が出れば、時代もまた改められなければならぬ。

虞姫《ぐき》 （女官たちに）では、皆に酒を。

女官が、酒、盃《さかずき》を持ってきて、項羽をはじめ、一同に注ぐ。

使節《しせつ》　（盃《さかずき》をかかげながら）項王と大楚の世に、かぎりない栄光と祝福を！

項羽《こうう》　うむ、しかし俺のことを項王とよぶならわしは、昨日、変えたはずであるぞ。以後は俺のことを、懐王やここにいる漢王らと区別して、覇王または大王と呼ぶがよい。礼節を失わせるのは世の乱れのもとだ。こころしておくがよい。（一同頭を下げる）いや俺は、始皇のように皇帝の称号に敬礼させたいわけじゃない。俺はただ、万民がこの項羽に向かって礼拝することをのぞんでいるだけなのだ。俺にもし世つぎができたとしても、俺はそれを大王とは呼ばせないだろう。

劉邦《りゅうほう》　私は大王さまと同じ時代に生まれたということを、この上なく光栄に感じておりますし、また幸福であると存じております。

項羽《こうう》　「光栄である」のはわかる。しかし「幸福に思う」というのはどういう意味だ。

劉邦《りゅうほう》　英邁《えいまい》な大王さまが、私の上にもしおいでにならなかったなら、私は今の時代をもっとたやすく生きぬけると考えたでありましょう。そうしたら、私の向上心はにぶくなり、簡単に誘惑に負けてしまっていたことでしょう。大王さまの後を追うことができたからこそ、高みを目指してこれたのでございます。

項羽《こうう》　それは、そなたがとうてい俺の臣下以上の者にはなれないという何よりの証拠だな。俺は生まれてからこのかた、頭の上にあの大空のほかには何もいただいたことがない。俺自身の力以外の力に感謝を感じたことがないからな。俺の死後、万民はずっと俺のことを思いだしてすがったり、そのいつくしみを感謝したりするなんてことはできないかもしれん。しかしそんな連中でも、俺のことを思い出すときには、俺のことを誇り、腹の底から湧き上がる力を感じることができるはずだ。万民に思い出す力がある限り、俺はやつらにとっては活気と熱情、そしてくじけない勇気と力を守護する「生きる」神となるのだ。やつらはひとたび俺を拝めば、だらけたりいじけたりすることはできない、そんなことをしたら恥ずかしく思わせる、そんな神となるのだ。

このとき、外が何となく騒がしくなり、ざわめき立つ。

使節たち　何ごとでしょう？

項羽《こうう》　暴動ではない。宴《うたげ》の余興《よきょう》だ。

項羽、身体を後ろによじり、剣の先でカーテンを左右に開く。真っ赤に燃え上がる阿房宮《あぼうきゅう》が窓一面に見える。一同おどろく。

使節たち　あれは阿房宮《あぼうきゅう》ではございませんか？　大変なことになりました。

項羽《こうう》　(笑いながら) 阿房宮《あぼうきゅう》は焼けてはならぬのか？　灰になってはいけないものなのか？　他でもない、あれに火を放たせたのはこの項羽だ。あまたの偶像を祀《まつ》って、ただいたずらに民の心を迷わせている世の中の社《やしろ》を、ことごとくこわさせたのが俺であるように。俺は創造する。だから俺は破壊するのだ。

使節　あのおおきな宮殿がすべて燃えつきるには、おそらく三か月はかかりましょう。

阿房宮は焼けてはならぬのか？

鐘離昧《しょうりまい》　火の粉が、この大風で町のほうに飛んで…。まるで火の雪が降るようにきれいですぞ。あれを造った始皇帝にこの風景を見せてやれないのが残念ですな。

項羽《こうう》　本物の前には、にせ物は消えていくしかないものだ、こんな具合にな。あの火があの宮殿を焼きつくすように、俺は熱情をもって人生を焼きつくしてやる。そして俺の焼かれる心配のない新しい「生きる」神は、あの焼け跡のいしずえの上に立つのだ。その本物の神を俺は民とともに拝むだろう。

英布《えいふ》　(窓ぎわに行って外を見る) 民が泣き叫んでおりますぞ。飛び火だ、飛び火だといって騒いでおります。

項羽《こうう》　ふん、宮殿の近くに住む者には、昨日から立ち退きを命じてあるわ。音楽をやれ。そしてあの蚊の鳴くような、なさけないざわめきを消してしまえ。

音楽始まる。女官ら酒をそそいでまわる。

項羽《こうう》　(興奮して) ああ音楽よ、音楽よ!　いのちの炎よ。俺の五体に力みなぎるとき、俺はおまえの旋律を聴かない時はない。おまえは俺の力の声、情熱のひびき、恋の歌だ。ああ、俺はいつもその声を聞きたい。おまえがいかづちのように俺の内に鳴りひびくとき、天は地によびかけて燃え上がり、地も天にこたえて燃え上がるのだ。(剣を頭上でふりまわしながら) おお、力よ!　力よ!　力は音楽だ!

虞姫《ぐき》　(やきもきしながら傍白) ああ、また何をなさってるの?　音楽をお聴きになると、もうすっかりご自分のことに気をとられて、やらねばならぬ大事なこともすべて忘れておしまいになる。（殷桃《いんとう》娘《にゃん》に気づいて）おや、金祥鳳《きんしょうほう》、お前そこにいたのですね。漢王にお酌をしておあげ。

殷桃娘《いんとうにゃん》、劉邦《りゅうほう》の前に進み出てその盃《さかずき》にわずかな酒をそそぐ。次に項羽のところに行ってたっぷり注ぐ。

虞姫《ぐき》 （殷桃娘《いんとうにゃん》に）金祥鳳《きんしょうほう》や、お前はこちらに来て、私のそばに坐っておいで。

殷桃娘《いんとうにゃん》 そうしていれば、私も楽でございます。（傍白）ここにいれば、何かあったら、すぐ私も動くことができるわ。（虞姫《ぐき》の傍《かたわ》らに行きその足もとにすわる）

項羽《こうう》 （虞姫《ぐき》に）お前は大分その小猫が気に入っているな。

虞姫《ぐき》 ええ、いつも戦場に出ている夫を持つ者は、ずっと自分のそばにいてくれる可愛いものを何か飼っておきたくなるものでございますの。私はこの猫が大好きですの。よい毛並みではございませんか？（殷桃娘《いんとうにゃん》の頭をなで、そのほほに口づけをする）

外よりひびく人民の叫び声。

項羽《こうう》 （不快になる）馬鹿者！　あのカーテンをいつまで開けておくのだ！（鐘離昧《しょうりまい》、後ろのカーテンを閉じる）

范増《はんぞう》 チッ。いったいどうしたというのだ？　やつはあんなに飲みながら、一向に酔っぱらう様子がないぞ。

項羽《こうう》　劉邦《りゅうほう》、そのほうは咸陽《かんよう》の様子はよく知っているはずだが、民は俺のことをどう思っているかな。

劉邦《りゅうほう》　いや、俺はやつらが俺を愛しているかどうかをきいているのではない。そんな選択は民にゆるされる訳はないからな。俺はただ、やつらがいかに俺をおそれているか、それを聞きたいのだ。

項羽《こうう》　貧しさのために罪を犯そうとする者も、大王さまの名を心に浮かべると、身体が動かなくなるほどでございます。咸陽《かんよう》には今や酒を飲む者もまれになりました。酔って思わず大王さまの御名《おんな》を口にすることを恐れるからでございます。どの家庭にも今や高い笑い声や、泣き声は聞かれません。市街はひっそりとしております。

虞姫《ぐき》　ははは、俺はいずれ俺の記念像完成の祝いの儀式の日には、やつらを皆その盛大なうたげに招いて、飽きるまで酔わせ、楽しませてやるぞ。

項羽《こうう》　劉邦《りゅうほう》。そなたは大の酒豪だということではありませんか？　近頃はずいぶんおつつしみと見えますね。

劉邦《りゅうほう》　私がつつしみませんと、部下の者が大酒を飲みますもので。

項羽《こうう》　しかし今宵《こよい》は俺が命令するぞ。劉邦《りゅうほう》、およびそのほうたち。わが妃《きさき》の美しい姿と、その美の栄光のために飲め。

一同　(立って盃《さかずき》をあげ)我らが恵み深いお妃《きさき》さまの美しさと、その限りない栄光のために。(飲み干す)

張良《ちょうりょう》　遅ればせながら、お祝いの品をささげます。これは昔から天下の主《あるじ》たる者が、神器《じんぎ》として代々ゆずり伝えてきた玉璽《ぎょくじ》でございます。わが主、劉邦《りゅうほう》が大王さまに献上《けんじょう》するために、秦《しん》の三世皇帝からゆずり受け、今日までお預かりしていたものでございます。(みごとな玉璽《ぎょくじ》を持って前に出る)

項羽《こうう》　(それを手に取り、満足の色を顔に浮かべながらそれをながめ、それに七宝で記された字を読む)「誇りは美なり」か。ふむ、この文句は気に入ったぞ。いかにも、誇りは美である。(虞姫《ぐき》、項羽の耳になにやらささやく)して、これをそのほうが自らのものとするのではなく、預かっていたというのか? よもや、まがいものではあるまいな?

張良《ちょうりょう》　私たちが大王さまのお見立てを信奉しておりますように、大王さまも私たちの忠誠をお認め下さることを、お願い申し上げるのみにございます。

虞姫《ぐき》　(項羽にささやく)こんなものは、つまらぬまやかしです。策略《さくりゃく》にお乗りになってはなりません。

項羽《こうう》　それはそうと、劉邦《りゅうほう》。そのほうは、さきほど俺と同じ時代に生まれたことを幸せに思うといったが、そのために俺の犠牲となっても、それでもそのほうはそれを幸せだと思うことができるかな? 俺と時代を同じくする者は皆、その覚悟を持つ範囲でのみ、幸福だと口にすることが許されるのだ。

范増《はんぞう》　もし覚悟もなく、そのようなことをいう者がいるならば、そやつは大王さまに自らを差し出さなくてよいと考える、うぬぼれの罪を覚悟しなければなりません。劉邦《りゅうほう》どの、何とお答えなさる?

劉邦《りゅうほう》　(間をおいて)私の申す幸福は、その意味とは少し異なっております。それに私は未来のことを申したのではありません。

項羽《こうう》　ふむ、そのほうは自分に徳の足りないこと、そんな自分のみじめさを今ほど感じたことはあるまい。今そのほうが犠牲になったとしても、そのために救われる者などいないだろう。またもし、そうすることで民の一部が幸福になるとしても、「自分の首を刎《は》ねてくれ」とはそのほうもいい出せまい。だが今はそのほうに恥じることを求めてはおらん。「覚悟せい」といっているのだ。

使節 （つぶやく）これはどうも恐ろしいことになってきた。恐ろしいことになってきた。

張良《ちょうりょう》 （傍白のように）どうやら世間の噂にも、まんざら聞きずてならないものがあるように思われてきた……が、どうも私には合点が行かないな。

范増《はんぞう》 あなたは何を呟《つぶや》いていられる？

張良《ちょうりょう》 なに、私はまさかそんなことがあろうはずはないと信じているので……。

范増《はんぞう》 そんなこととは何ですかな？

張良《ちょうりょう》 実は世間の愚かな民の中には、大王さまがこの劉邦《りゅうほう》を内心、恐れておいでだと……。そのあまりに、今晩のこのおめでたいお祝いの席に招いて、ありもせぬ罪をこの劉邦《りゅうほう》にかぶせて、亡《な》き者にしてしまおうというご計略があるかのように申す者が……。

項羽《こうう》 何ッ！　俺がそのほうの主《あるじ》を恐れている？　そして、俺が劉邦《りゅうほう》を殺すためにその理由をごまかす必要があるだと？

張良《ちょうりょう》 それほど民とは愚かなものなのでございます。何を言い出すかわかりません。それゆえ、私たちは途中でそういって、私たちを引きとめようとした愚か者を懲らしめるため、咸陽《かんよう》中を引きずり回し、こやつはこんな下らないことを口にした不届き者だということをふれ回らせ、街の笑いものになるよう、部下に申しつけてきた次第で……。

范増《はんぞう》 ははは、張良どの。なるほど、それならあなたが合点がいかないのはごもっともじゃ。たしかにその不届き者とやらの言葉を、あの咸陽《かんよう》中にふれ回らせるというのは、そなたの思いつきだけあってさすがじゃのう。さぞかし味方には、効き目のあるおどしのように見えますな。しかし、そなたのいう民は、ほんとうは現実の民ではなくて、あなたの頭の中にいる民のうわさではありませんかな？　民に罪をなすりつけようというのは、彼らを大切にしているあなたがたに、まったくにつかわしくないやりかたではありませぬか？

張良《ちょうりょう》　いえ、そうではございません。私は今になってこれらのうわさに、少しばかり合点がいきかけてきたというのです。私の主《あるじ》がもう少し平凡な小人物であったら、あなたがたはきっとその功績に、ごほうびを与えてくださったであろうものをと、私は申しているのでございます。いわれなき罪を着せる代わりに。なぜなら、私たちが関中でおこないましたことは、すべて大王さまのお考えを忠実にはたしたものであることは、城中の民ひとりひとりにいたるまで……。

范増《はんぞう》　お待ちなさい。あなたは、漢王が先に関中に入って「忠実にはたされた」という多くのことが、大王さまのお許しがないままなされたという事実を否定なさるおつもりか？　劉邦《りゅうほう》どのが、無断で自らを漢王と呼ばせ、愚かな民の人気をとることに全力をつくされた、その目的を見抜けない我らだと思っておられるのか？　あなたがたはどれだけ大王さまを見くびっておられるのか？　それとも、大王さまがよほど間抜けだということになりますぞ！　あなたもまだちょっとお若いようだのう。そちらのむき出し野心が、あんな子供だましのような玉璽《ぎょくじ》をささげることで、隠しおおせるものと思っておられるとは。いや、それともそれ以外、手がなかったということかな？

項羽《こうう》　（張良らに向かって）だまれ！　おまえたちは、露払《つゆはら》いの身でありながら。俺の威光をみだりに使ったからといって、そのようなことをいちいち気にするような項羽と思っているのか？　子供は大人の刀を借りるとそれを持ってむやみにものを切って見たがるものだ。ふん、俺にはそのほうのごとき青二才が考えるつくりごとくらい、すべてわかっているのだ。俺がそのほうの主人を恐れているなどといって、俺の誇りを刺激しようとしていることをな。そうやって、劉邦《りゅうほう》を罰するのが恥ずかしくなるよう仕向けていることも。そのほうの野心も。そして俺に対する反逆心も、恐怖も、へつらう心も、民にこびる心も……。

劉邦《りゅうほう》 私は何者にも、こびる者ではありません。へつらいもしません。

項羽《こうう》 ただ愛するのみというのか？　ふむ。だが、もしこびないというのがはたして本当なら、そのほうはこの上ない馬鹿者だな。俺の臣下であるそのほうにとって、生きることは俺にこびへつらうことであるのを知らないのか？　いや、俺はそれがそのほうたちの運命であることを今ここで知らしめてやろう。（こういいながら玉璽《ぎょくじ》を蹴飛ばす。その拍子に一方の靴がぬげて飛ぶ）さあ、その靴を取って俺にはかせろ。漢王！

一同あ然とする。劉邦《りゅうほう》、毅然《きぜん》として立ち、その靴を拾い上げ、項羽の前にひざまずきその足に靴をはかせる。

項羽《こうう》 そのほうのひげは埃《ほこり》とりにはちょうどよさそうだ。ついでに靴の汚れをふけ！

劉邦《りゅうほう》、躊躇《ちゅうちょ》しながらも、あごひげをちょっとその靴にあてて袖《そで》で汚れをふく。

虞姫《ぐき》　（顔をそむけて）あんなことまで、なさらなくてもいいのに。

使節たち　（顔を見合せてつぶやく）漢王にどのような罪があるにしても、これを見せつけられる我らもたまったものではない。

項羽《こうう》　はははは。そのほうは、まるで犬のようにへつらうものだな。あの股をくぐった韓信《かんしん》といい勝負だ。これでそのほうにも、自分が何者であるかがよくわかったろう。下がれ！　おまえを罰することさえ、俺にとっては恥ずかしいぞ。

劉邦《りゅうほう》　（真っ赤に顔を赤らめ）確かに私は、自分が何者であるか、今ほどそれをわかったことはございません！　私は自分の神聖なるものを今ほど感じたことはありません！　この世の何者も私を辱しめたり、私の神聖なるものを勝手にできないのだと、今ほど感じたことはありません！

項羽《こうう》　（勝ちどきを上げるように高笑いして）どうだ皆の者。漢王の怒った顔を見てやれ。あの真っ赤な顔を。人間がその弱さの為に、いかに軽々しく一命をなげうつか……。しかし俺は今、そのほうの怒った顔を見ると、なにやらそのほうが不憫《ふびん》になってきたわ。俺はそのほうを助けてやりたいが、どうだな、劉邦《りゅうほう》、ひとつそこで誓いを立てる気はないか？　生涯、なに、必ずしもそのほうの生涯ではない、俺が死ぬまででもよい、俺のお気に入りの下僕でいることを。

劉邦《りゅうほう》　……。

張良《ちょうりょう》　（劉邦《りゅうほう》にささやく）あんなのは、ただのざれごとです。お誓いになりませ、早く！

范増《はんぞう》　（張良に）漢王はあなたよりも正直なご性分じゃから、嘘の宣誓がおできなさらぬのだ。して漢王が、お答えに困っておられるところを見ると、これはいよいよ……、いや、私も正直に申せば、実は

虞姫《ぐき》　そのほうがあなた方のためにも都合がよいと思いますのじゃ。漢王は今、大王さまのお手にかかってお なくなりになったら、あるいはあなたのいわれる通り、「大王さまに恐れられて」といういつわりの名誉を得られることもできましょうな。それに民の残念がりようも、それは大きなものになるでしょう。しかし今、なまじこの場は助かっても、この後、空しく西域の雪の中にでも朽《く》ち果てられでもしてみなされ。誰も漢王を惜しむ者はありますまい。天下に敵のないわが大王さまは、ほろぼすことを目的に人をほろぼすのではござらん。ただご自分の進軍の途上に、かってに飛び出してくる者をふみつけて行かれるだけです。ところが漢王は、我ら他の臣下のように、かって大王さまの後に従うことも好まず、かといって道ばたに退いて、遠くから敬意を表することもなさらないといわれる。それではいさぎよく打って出て、戦場で勝敗を争うというおつもりですかな。失礼ながら、あなたもうなずくじゃろうが、誰の目にもおぼつかないこととしか思われませんのじゃ。してみれば、どうしてもそれが漢王ののがれられぬ不幸な天命であるからには、漢王は全盛時代の今が、もしかしたら花の散らし時ではあるまいかと。こう申す私の言葉は、どんなに残忍なおどし言葉のようにひびきましょう。しかし、それはちっぽけな情けにとらわれて、大きな慈悲を捨てるというものかも知れませんぞ……。

(興奮し、みもだえしつつ傍白) ああ、まったく何という長ったらしい毒の吐きかたでしょう! ああ、私はどうしたらいいのか? いくらなんでもこれはあまりにひどすぎます! あの男があわれで……。今さっきあの男を見るまでこの胸の内にたぎっていた、あの不安な殺意はどこへ行ってしまったのでしょう? 私らの恐ろしい運命の敵なのに……。私たちはやり遂げなければならない！　でも何だって、今ここで彼を、こんなになぶる必要があるのでしょう。あの男の血が、むざむざここで流されるのを、どうして見ておられましょう……。（突然、盃《さかずき》を落して気絶したふりをする）

項羽《こうう》　（驚き）これはどうしたのだ。虞姫《ぐき》！　（かんしゃくを起こして）誰か水を持ってこい！　早く！　妃《きさき》を……。（と虞姫《ぐき》をだきかかえる）

虞姫《ぐき》　（少し頭を上げ）少し気分が悪うございます。気晴らしにあなたのお好きな音楽をやらせてください。

音楽始まる。范増《はんぞう》ヤキモキしてカーテンの裏にいる項荘《こうそう》を呼びだし、なにか伝える。

項荘《こうそう》　（進み立て）気分直しに、無骨《ぶこつ》ながらひとつ芸をごらんにいれます。（短剣を抜いて踊《おど》る。劉邦《りゅうほう》に近づき、隙あらば刺し殺そうとする）

殷桃娘《いんとうにゃん》　（起ち上がり）剣《つるぎ》の舞でございましたら、一人ではもの足りのうございます。私が相手になって華やかにいたしましょう。（項荘《こうそう》に）さあ私は蝶《ちょう》となりましょう。あなたは私を追いなさるがいい。

殷桃娘《いんとうにゃん》は燭台《しょくだい》の間をぬって舞いながら項荘《こうそう》をあやつる。項荘《こうそう》しかたなく彼女を追う。彼女はしばらくして項荘《こうそう》が劉邦《りゅうほう》に近寄ろうとすると、わからないように劉邦《りゅうほう》と項荘《こうそう》の間に入って邪魔をし、劉邦《りゅうほう》を彼の剣先から守る。このように何度もせまりながら、項荘《こうそう》は劉邦《りゅうほう》を刺すことができなかった。このとき張良が床をドンと踏みならす。すると背後よりサッとカーテンが開き、樊噲《はんかい》が現れる。抜き身の剣を手にぶらさげ、すさまじい決死の形相《ぎょうそう》。項羽以外の一同、そのいきおいに恐れをなす。

項羽《こうう》　何者だ！

樊噲《はんかい》　（項羽をにらみつけ）主のために何度でも喜んで死ぬ者であります。

項羽《こうう》　ここには、主は一人しかいない。よくいったぞ。

樊噲《はんかい》　私の主人は漢王さまのほかにはおりませぬ。

項羽《こうう》　（おどすかのように）なに？　誰の前だと思っているのか？　下がっておれ！

樊噲《はんかい》　漢王さまのお身体が安全になられるまでは、天地が砕けようとも私は一歩もこの場を退くことはできません。

張良《ちょうりょう》　（なだめるように）いや、大王さまが漢王の主であらせられる上は、漢王の臣はすなわち大王さまの臣であります。これは樊噲《はんかい》と申す劉邦《りゅうほう》の護衛の者で、並外《なみはず》れて力の強いほかに、たいした取り柄のない者でありますが、ただ正直と勇気の点で誰にも負けないことを誇りにしております。

樊噲《はんかい》　俺は武勇のために仲間の尊敬をうけている者だが、こんなひどい扱いを受けたことははじめてだ。なにせ、さっきからまだ一滴の酒も頂だいしていないのだから。

項羽《こうう》　（苦笑して）近ごろ見ない面白いやつだ。（女官らに）酒を注いでやれ。へつらいに飽きている俺には、かえってその遠慮を知らん態度が気に入ったぞ。

女官ら樊噲《はんかい》に酒をそそぐ。このとき、またも民衆のわめき声が聞こえ「劉邦《りゅうほう》を返せ！　漢王を返せ！」と叫ぶ。一人の兵士があわてて登場する。

何者だ！

兵士 大変でございます。飛び火のために城内のあちこちに火災が起きて、咸陽《かんよう》が一面の火となってしまいました。民が興奮して門に乱入し、「火を消し止めろ。消さないなら漢王を返せ！」と叫んでおとなしくなりません。

英布《えいふ》 きっと、だれか黒幕のしわざです。この風を口実にして飛び火をよそおって、放火して回ったのでしょう。

鐘離昧《しょうりまい》 なるほど。そして「大王さまが咸陽《かんよう》を焼き払った」といいふらすかも知れません。

范増《はんぞう》 (歯がみして)もしそうだとすると、放火をさせて民を扇動している者は、おそらくあの韓信《かんしん》のほかにはないと思われます。あの男は普段から自分の地位に不満をいだいておりました。

虞姫《ぐき》 きっと、そうに違いないでしょう。(項羽に)あなた、では今夜はひとまず劉邦《りゅうほう》をゆるしてやって、その代わりに劉邦《りゅうほう》に韓信《かんしん》をお討たせになったら宜しいのではありませんか。

范増《はんぞう》 いや、韓信《かんしん》を漢王の代わりに討っても釣り合いがとれません。なあ、劉邦《りゅうほう》どの。

項羽《こうう》 大して変わらん。豚には豚がよろこぶものをやったらいいだろう！ ああ、俺はこの広間のさわがしい空気にはうんざりだ。今ここで汚らしい血を見る気にもならん。(虞姫《ぐき》を抱きあげつつ、使節たちに)そのほうたちは、もうさがってよい。この宴はこれで終りだ。劉邦《りゅうほう》、そのほうも今日は帰してやる。そのほうのしたことは、死罪に値する。しかし、俺には何をもおそれぬ自信があるから、そのほうのような許しがたい者の罪でも許してやれるのだ。ただし、この関中にいられるのは、今夜までだ。明朝、早々に覇上《はじょう》を引きはらえ。そして、俺が再びそのほうを呼び出す時まで、あの巴蜀《はしょく》の山中で謹慎しておくのだ。よいか。ふん。こんなものは返してやる。持って行け。

（先ほど献上された玉璽《ぎょくじ》を劉邦《りゅうほう》のほうに蹴りかえす。一同起立して頭を下げている中、項羽は虞姫《ぐき》とともに奥に退場。女官ら従う。殷桃娘《いんとうにゃん》は踊《おど》りながらいつのまにか姿をかくす）

張　良《ちょうりょう》　さあ、もう十二分に酔わせて頂きました。失礼なふるまいでもしでかさぬうちに、私たちも退出を許していただきましょう。

使節たち　偶然にも私たちは今晩、芝居以上の芝居を拝見させて頂き、手に汗を握りました。しかしまあ無事に済みまして、まことに喜ばしく存じます。（それぞれ礼をして去る）

范増《はんぞう》　（劉邦《りゅうほう》らに）あなた方はしばしお待ちください。街のあの混雑で、つまらぬお怪我でもしてはいけません。兵士どもにそこまでお送りさせましょう。（項荘《こうそう》に目配せをする。数人の兵士が現れる）

樊噲《はんかい》　はははは、もうそんな見えすいた嘘をおっしゃらなくてもよろしいでしょう。われらの主は、今しがた諸国の使節たちの面前で、あなた方より死罪にもまさる侮辱をさんざん受けたばかりなのですぞ。それでもまだご満足いただけないと。ふん。（脅かすように）ご心配はご無用です。供《とも》にはこの樊噲《はんかい》がついておりますゆえ。もしちょっとでも、我が主に近づくあやしい者がおりましたら、そいつらが何人であっても私一人でたたき斬ってやります。（張良に目配せする。張良はすばやく劉邦《りゅうほう》をせかしつつそこから立ち去る。樊噲《はんかい》は抜き身の剣を下げつつ広間中をにらみつけ、その後、悠々《ゆうゆう》と退場。兵士たち、その勢いをおそれて近寄れず、呆然《ぼうぜん》と彼らを見送る）

范増《はんぞう》　ああ、天下の運命はこれで定《さだ》まった！　大王はやつを巴蜀《はしょく》に追放すれば、それでもうすっかりやつを葬ったものと安心しておられるが、わしの見た悪夢はまさにこのことを見せていたのだ。（劉邦《りゅうほう》の使った盃《さかずき》を床にたたきつけて粉々にする）ああ、わしはもう生きる張り合いをなくしてしまった。

英布《えいふ》　わしの苦労はすべて水の泡だ。（絶望していすに崩れるように坐りこむ）

項荘《こうそう》　あの金祥鳳《きんしょうほう》という小僧は曲者《くせもの》です。やつが余計なじゃまをしたばかりに、すっかり計画が狂ってしまったのです。（くやしがり）まったくです。あの小僧がしゃしゃり出てきて踊《おど》ったりしなければ、私は楽に劉邦《りゅうほう》を刺し殺すができたのです。（兵士に）あの小僧を探して、早くここに連れてこい。

兵士ら退場。

范増《はんぞう》　劉邦《りゅうほう》を守っているのはやつではない。また張良でも樊噲《はんかい》でもない。天だ。人間には勝てるが天には勝てない。こうなった以上、せめてそのかわりに韓信《かんしん》を血祭りにあげるよりほかない。しかし今さら韓信《かんしん》を殺したところで、こちらの勢いを取り戻せるとも思えん。ああ、これからわしは、味方の下り坂を見なければならないのか。

民の騒ぐ声。

（幕）

第2場

韓信《かんしん》の館

みすぼらしい部屋。壁には兜《かぶと》や剣などがかけてある。部屋は暗く、ただ窓から遠くの火事による薄赤い光線が差し込んでいる。負傷した一人の男が寝台の上に横たえられ、韓信《かんしん》はその男に水や食べ物などをあたえている。遠くに火事を知らせる鐘の音がひびいている。

男

あなたの忍耐力には、皆感心しているでしょう。

韓信《かんしん》

軽蔑《けいべつ》しながらな。まあだが、俺はそんなことはどうでもいい。俺は忍耐の苦しみは嫌いじゃない。俺は世間という世間の皆が、俺を馬鹿にする対象にしか見ていないことは承知の上だ。でも俺は後悔しちゃいないさ。俺はやつらがとうてい忍耐できないことを、やり通せるだけの自信と力があったからな。もし後悔なんてしたら、俺を侮辱したやつらに本当に侮辱されたことになってしまう。いつになっても開《ひら》けそうにない自分の運命を考えると、どうしようもなく不安になってしまうこともある。が、そんな時だって俺は絶望したりはしないさ。そんなときは、俺よりももっともっと不遇なのに、くじけない力強い人を心に浮かべて、時々強く俺の心にもたげてくる不安と、それから逃げたくなる自分をあざ笑ってやるんだ。俺も、もういい歳だ。光陰《こういん》は矢のように飛んでいく。それなのに俺は、まだ項羽なんかの足にくくりつけられたままのあわれな護衛兵に過ぎない。だから俺はどうしてもあせってしまうのだ。しかし、俺はこのあせる心に負けはしないぞ。

男 あなたは本当に強い人です。大抵の者なら、そんなにとんでもない苦労をしたら、大方へこたれてしまうか、ひねくれて、すべての気力を失ってしまったでしょう。

韓信《かんしん》 いや、俺はもっと苦労が降りかかってもいいと思っている。果てしないくらやみが、俺にのしかかって苦しめる時、「今、天が俺を試しているのだ、負けられないぞ」とかじりついてきたんだ。しかし、今日はさすがに、もうがまんならなくなって、逃げ出すように表へ飛び出してきたら、この大火事で、そこで倒れている君につまずいたというわけさ。で、俺は君を抱きかかえてなんとかここまで連れてきたのだが、ごらんの通り、どうすることもできない始末だ。

男 そんなことをあなたにいわれると、私も心苦しいです。実は、私はこの咸陽《かんよう》に嫁になる娘をもらいにきたのです。しかしその女は、ある理由で私を毛嫌いして、まるで相手にしてくれなかったのです。しかたないので国に帰ろうとしたのですが、その途中で、この大火にあってしまったのですよ。そこで火に包まれていた家の中から、親子の者を救い出そうとして、屋根から落ちてしまったのです。

韓信《かんしん》 その女はどうして君を嫌ったのだ?

男 私は趙の国に仕えている者ですが、実は匈奴《きょうど》の血を継《つ》いでいるのです。咸陽には、「匈奴《きょうど》のように残忍で狡猾《こうかつ》だ」などという言葉さえあるくらいですから、毛嫌いされているのです。しかし匈奴《きょうど》にだって涙はあるのです。残忍な点では、この中華の民だって匈奴《きょうど》に優るとも劣りはしませ

韓信《かんしん》 ん。狡猾《こうかつ》な点では、文明が進んでいるだけにいっそうひどいです。匈奴《きょうど》には、始皇帝や項羽のような暴君はいません。そして項羽は今や中華を平らげたので、今度は私らの祖先の領土をおかして、罪もない民族を亡ぼそうとしているのです。

しかしそのうち、君の故郷にも新たな項羽が生まれて力を得たら、その項羽は君たちをひきいて、反対にこの中華を襲ってくるだろう。いや、今にいつか必ずそういう時代が来そうな気がする。君がそれを望もうと望むまいと、君たちの中の項羽が、この中華や西域をおかしてくる時が。

半鐘《はんしょう》の音、近くなる。

男 (ためいきをついて)火がこちらに近づいたようです。聞くところによると、項羽がこんな火事を起こしたのは、何でもやつがあの宮殿に入ったとき、あまりに壮大だったもので、いなか育ちの彼は鼻っ柱が折られたことが悔《くや》しくて、焼いてしまったということではありませんか。

韓信《かんしん》 それればかりでもなかろうよ。あいつは、何でも人が大切にするものを、踏みつけるのが好きなんだ。それにしても、滅亡の悲運がやつにめぐってくるのも、そう遠いことではないだろうな。だが君はあまり興奮しちゃいけない。まずは気分をおちつけて、少しでも眠ったらどうだ。

男 そうですね、では少し休ませて頂きます。おかげさまで今になって疲れが出てきたようです。(異民族の作法で天に礼拝し、眠る)

韓信《かんしん》はまたあちこちを歩きまわり、頭をふってため息をつき、壁から剣をとって腰をおろした。剣を鞘《さや》から抜いて、その刀身をながめている。急にピシャッとそれを鞘《さや》におさめて壁にもどし、窓に向かって置かれた机にもたれ、両手で顔をおおって突っ伏す。半鐘《はんしょう》の音。このとき表で馬のひづめの音が聞こえ、家の前に止まる。韓信《かんしん》、聞き耳をたてる。扉をたたく音。

韓信《かんしん》　（立ち上がり）誰だ？

殷桃娘《いんとうにゃん》　（息を切らしながら入ってくる）ごめんください。私です。

韓信《かんしん》　（暗いのでよくわからず）お前はあの何とかいう少年じゃないか。

殷桃娘《いんとうにゃん》　あなたはもう、私の声をお忘れになったのですか。あなたまでが、あの少年を本当に男だと思っていらしたのですか？

韓信《かんしん》　（驚いて、一歩後ろにさがる）いや、私は以前、庭で女官たちと一緒にたわむれているあなたを遠くから見たとき、一瞬だけ「あなた」を感じたのですが……。しかしそれは、ただの私の気のせいだろうと思っていたのです。今、私にはそれが本当だったことがはっきりしたが、あなた自身の言葉で教えてほしかった。

殷桃娘《いんとうにゃん》　（少年の服をとって女になる）韓信《かんしん》さま……。（涙ながらに韓信《かんしん》の手にすがる）

韓信《かんしん》　殷桃娘《いんとうにゃん》、あなたはなぜこんなところに……。

殷桃娘《いんとうにゃん》　私は、あなたをお助けにまいりました。

韓信《かんしん》　助けに？

殷桃娘《いんとうにゃん》　少しでも早くここからお逃げください！　項羽はあなたを殺そうとしています。

韓信《かんしん》　何？　項羽が私を殺すだと！

殷桃娘《いんとうにゃん》　項羽は今晩、劉邦《りゅうほう》を呼びつけて殺すつもりだったのです。しかし殺せなかったものですから、その腹いせにあなたを殺すことにしたのです。「この咸陽《かんよう》を焼き打ちしたのもあなただ」といって。

韓信《かんしん》　（唇をかみ）きっと、またあの老いぼれめがたくらんだことに違いない。俺は「いつかそんな時が来るんじゃないか」と思っていたんだ。（拳を握りしめて）おお、今こそ俺は、やっとの悪縁を断ち切るぞ。俺の運命を踏み潰《つぶ》そうとするやつに恩をかえす義理はない。（兜《かぶと》を壁から手に取って、楚《そ》の臣下であることを示す青い毛飾りを剣で断ち切り、それを床に落として踏みつける）さあこれで、もう俺は自由の身だ。（殷桃娘《いんとうにゃん》の手をとり）そしてあなたは、私をくらやみの牢から解きはなってくれた天女だ！　まさにわが運命がずっと望んでいた人だ！（殷桃娘《いんとうにゃん》を抱こうとする）

殷桃娘《いんとうにゃん》　（その手から逃げて）待ってください。あなたは、まだ私のような者にさわってはいけません。（すすり泣く）

韓信《かんしん》　どうしたのです！

殷桃娘《いんとうにゃん》　わ、私は人殺しなのです……。

韓信《かんしん》　あなたが人を殺したと！　いや、この時代、天下に人殺しでない者は一人もない。あなたはそんなことをいって、どれだけ人を殺してきたかわからない私を当てこすっているのですか？

殷桃娘《いんとうにゃん》　私はそればかりではないのです……。（泣く）私は……私は呪われているのです……。

韓信《かんしん》　いや、今どき呪われていない者のほうがめずらしいですが。ならば誰が、あなたの運命を踏みにじったというのですか？　けがしたとでもいうのですか？　そんなことを聞くのもたまらないが……。

殷桃娘《いんとうにゃん》　皆、あなたのためだったのです。あなたと一緒になりたいために……。

韓信《かんしん》　私のためですと！　泣いてはいけません。さあ早くいってください。あなたに殺されたやつが、あなたをけがしたというのですか？　それはいったい誰なんです？

殷桃娘《いんとうにゃん》　……項梁《こうりょう》なのです。

韓信《かんしん》　なに？　項梁《こうりょう》のやつは項羽に殺されたのではなかったのですか。

殷桃娘《いんとうにゃん》　表向きはそういうことになっています。でも実はそうではないのです。項羽には、私が殺した死体と知らずに斬らせたんです。

韓信《かんしん》　……。し、しかしどうしてやつはあなたを？

殷桃娘《いんとうにゃん》　私はあの男の罠《わな》にかかって、館《やかた》に入り込んだところをすぐに捕まってしまったのです。私は父の仇《かたき》の項羽とあの男を殺すつもりだったのですが、あの男は私の計画を見破って、私が隠しもっていた懐剣《かいけん》を奪いとってしまったのです。そして私はあの男にいやおうもなく……あの男の寝所に連れこまれてしまったのです。

韓信《かんしん》　ああ……。

殷桃娘《いんとうにゃん》　そこであの男は、私に「項羽を殺せ」というのです。もし私が項羽を殺せたら、私を「妃《きさき》にしてやる」っていってました。男の力には全然かないませんでした。あの男が私をねじ伏せて思い通りにした後、獣のような口づけを迫《せま》った時、その舌を噛《か》み切ってやったのです。

韓信《かんしん》　何てことだ！

殷桃娘《いんとうにゃん》　ちょうど私があの忌《い》まわしい寝所を逃げ出したのと同時に、カーテンの後ろからたくさんの槍が、あの死にかかっている男の身体に突き立ったのです。

韓信《かんしん》　ああ、なぜその槍がもうすこし早くあの獣の身体を突き刺してくれなかったのだ！　だが……、それはどうしようもないことだ！　それはそれとして、どうしてあなたは、まだここに留まっていたのです？

殷桃娘《いんとうにゃん》　ええ、私はそのとき夢中で私をそそのかした劉邦《りゅうほう》の奥方のところへ逃げて行ったのです。しかし奥方は、私を家の中へは入れてくださらなかったのです。それでどうしようもなくて、まだ夜が明けきらないうちに、虞美人《ぐびじん》のいる館《やかた》に戻るしかなかったのです。私はもう、どうでもよくなって。自分の正体が「ばれるならばれてしまえ」とさえ思っていました。しかし私にどうして項羽に近づく力があったでしょう。あれは本当に恐ろしい鬼です。人を脅かしながら、ひきつける不思議な魅力を持っています。

韓信《かんしん》　ああ、俺は何といっていいのかわからない。あなたに礼をいうべきなのか、それとも自分になぐさめをいうべきなのか……。

殷桃娘《いんとうにゃん》　さあ、あなた、こんな私ですが、どうにでもなさりたいようになさってください。私はもうあなたの前にすべてをお話してしまいました。でも私には今、はっきりわかったことがあります。あの恐ろしい項羽の陣中にもぐりこんだのは、仇《かたき》のためというよりもあなたにお目にかかりたかったからなのです。もし、あなたに会えるかも知れないという望みがなかったならば、私には二回もあんな恐ろしい命がけの場所に足を踏み入れるなんて、とてもそんな勇気は出てこなかったでしょう。

韓信《かんしん》　おお、本当にありがとう！　あなたは来て欲しいときに、私を救いにきてくれた！　見ろ、やはり天は俺を見捨てはしなかったのだ。（飛びかかるように殷桃娘《いんとうにゃん》を抱きしめる。しばらく無言。赤く反射する光線の中に、殷桃娘《いんとうにゃん》の顔をまじまじと見ながら）それにしてもあなたの変わり方はどうだ。わずか三年だというのに、こんなにやつれてしまうなんて。あなたのその様子を見ると、ひどい運命にもてあそばれてきたのが、手に取るようにわかる。（痛々しそうに）だがあなたはそれでも美しい。稲妻《いなづま》に照らされた花のように。あなたはそんなに勇気があるのに……私に会えたからですか、急に気が抜けてしまったのですね。だがこんなことをいうのもつらいが、もうちょっと頑張ってください。私たちは今、気を抜いてはだめだ。なにがなんでも心の弦《つる》を張りつめていなければならない。私たちはまだやっと一つ関門の前で落ち合えたに過ぎないのです。たしかに、門は開け放たれた。だがそれも、この先で待ち伏せしているやつらに我々を殺させるためかもしれない。しっかり私にしがみついていてくださいよ。私たちがこの関門を無事に通り抜けて、私があなたの運命から暗雲をすべて追い払ってしまうまで。おお、そのための戦いだと思うと私の勇気は百倍だ！

殷桃娘《いんとうにゃん》　私もあなたを危険からお救いするまでは、倒れることはできませんわ。（眠っている男に気がついて）ここにいるのはどなた？

韓信《かんしん》　あれは私が救ってきた匈奴《きょうど》の男だ。彼は、項羽を呪っている我々の味方です。

男　（起き上がり）いや申し訳ない。私はあなた方の会話を残らず聞いてしまいました。しかし私をお信じください。私は李左車《りさしゃ》という者ですが、どうか私の人生をあなた方の目的に結びつけさせてください。あなた方と目的を同じにすれば、わが同胞を項羽の災厄《さいやく》から遠ざけることができるの

忌まわしい寝所を逃げ出したのと同時に

韓信《かんしん》 です。どうか私をお連れください。

殷桃娘《いんとうにゃん》 （素早く剣をつけ）よし、では早く出発しよう。追っ手の来ないうちに。しかし逃げようにも、馬が一頭しかないな。

韓信《かんしん》 私の乗ってきた馬がいます。あの英布《えいふ》が自慢にしている黒龍という名馬を盗んでやりました。

男（李左車《りさしゃ》） それはありがたい！（男に）では君はそれに乗ることにして、あなたは私の馬に一緒に乗りなさい。

殷桃娘《いんとうにゃん》 しかし、どこへ？

韓信《かんしん》 蜀《しょく》の桟道《さんどう》のほうへ逃げましょう。咸陽《かんよう》を追われて劉邦《りゅうほう》さまがそちらをお通りになるはずです。そこで劉邦《りゅうほう》さまを待ち受けていましょう。

男（李左車《りさしゃ》） そうだ。漢王さまこそ我らの主人だ。私は前からあの人のもとに行きたかった。「漢王さま」と「自由」、この二つによって我々は翼を伸ばすことができ、それによってまた暴虐を滅ぼすこともできるはずだ。（男に）しかし、君は私たちとここから逃げることができるか。

韓信《かんしん》 あなたの手当と勇気のおかげで、私の力はもうみなぎっています。ほらこの通り、私はもう立てますよ。（立ち上がる）

殷桃娘《いんとうにゃん》 では、急ぎましょう。一刻の猶予もありません。

韓信《かんしん》 さあ、私が腕を貸そう。もう何が来ても負けはしないぞ。

韓信《かんしん》は男を右腕で支え、殷桃娘《いんとうにゃん》を左腕で抱きかかえて急いで退場する。

（幕）

蜀の桟道へ

楚

左遷《させん》

秦の領土を諸侯が手にするなか、劉邦《りゅうほう》があたえられたのは巴蜀《はしょく》（四川）に近い漢中。地図上では、中原からはるか左の辺境に遷ることになった。右を尊び、左を卑しんだ古代中国にあって、左遷とは低い地位に落とされることを意味した。

項羽と劉邦

漢

第四幕

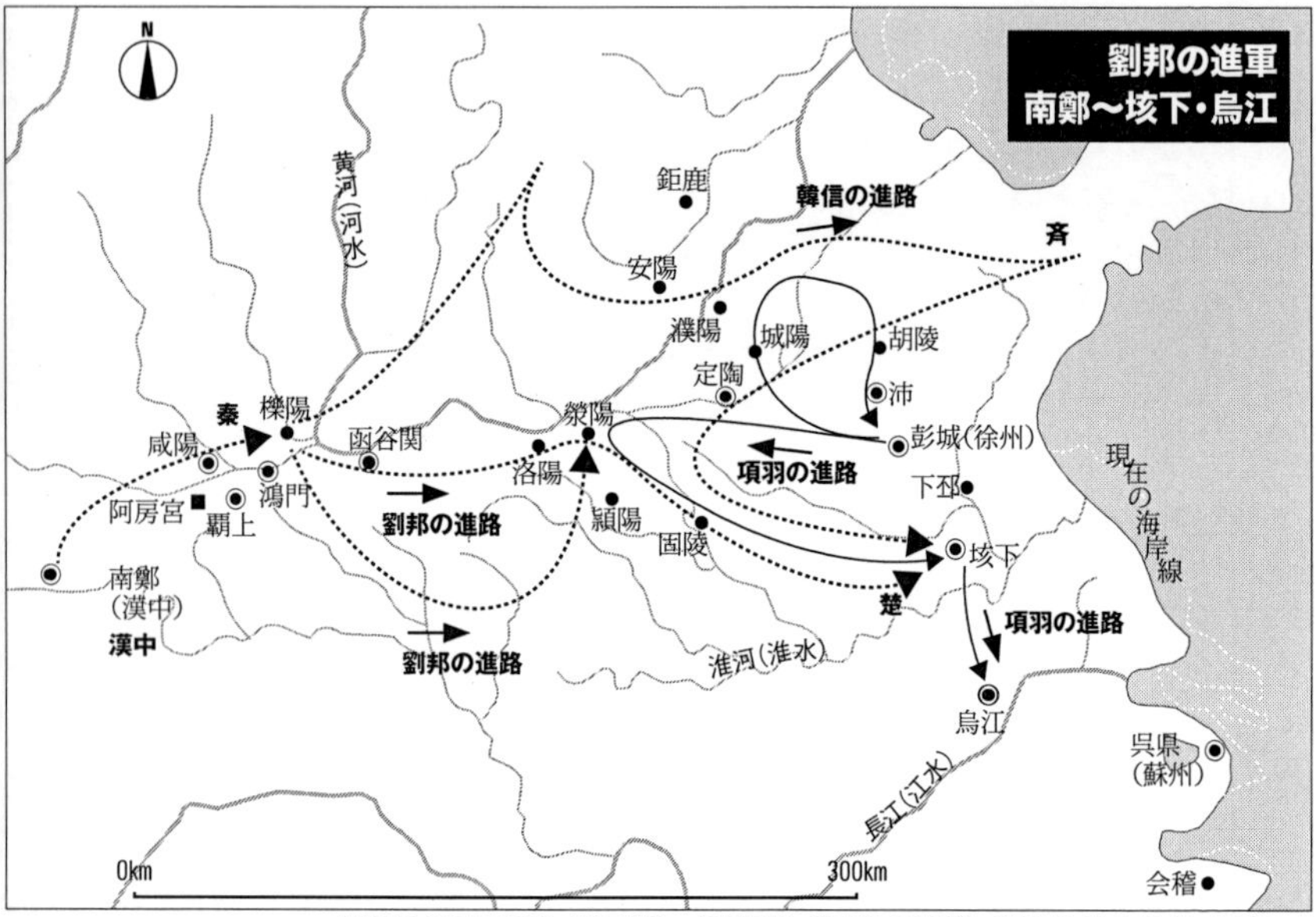

『項羽と劉邦の時代』（藤田勝久／講談社）、『最新国語便覧』（浜島書店）を参考に訳者作成

第1場 洛水《らくすい》をのぞむ項羽の館

高い楼台の上。舞台の左手には、雄大な秋の風景が広がっている。正面奥には項羽の寝室の入口、右手には奥につづく廊下となっている。

虞姫《ぐき》は欄干《らんかん》のかたわらに腰をかけ、お付きの女官に髪をとかせている。テーブルの上の器には果物が盛りつけられている。

女官 本当にお妃《きさき》さまのご心労をお察しします。

虞姫 私の苦労をわかってくれるのはお前だけですよ。王妃になってこのかた、私は一日として心が安まった日はありません。天下は平和になったように見えるけれど、それはうわべだけで、万民の心はまだ私たちには従っていないのです。いや、むしろ私たちを妬《ねた》み、怨《うら》み、呪っているようにさえ見えます。諸侯は、単にこちらを恐れているから大人しくしているだけで、反乱こそおこしていないけれど、私たちの力が少しでも衰えようものなら、あの者らは、すぐさま牙をむきだして野犬のようにかみついてくるでしょうね。そして天下は前よりもっと乱れて、血で血を洗うおそろしいことになるのは間違いないですよ。

女官 きっと大王さまのご威勢に誰も並ぶことができないので、下々の者たちは、皆ねたんでいるので

虞姫《ぐき》　ございますよ。本当に嫉妬ほどあさましいものはございませんね。あんな連中の中にも、少しは良心的で、よい人間もいるのでしょうがね、でもちょっと見渡したところでは、天下は妬《ねた》みやら怨《うら》み、悪だくみの毒気がいっぱいで息苦しいほどです。私はつくづく民の心が、ケチくさくていやになってしまいます。もっと窮屈《きゅうくつ》な襟《えり》のひもをゆるめて、息がしやすいように気楽にできないものか？　少しは大きく息を吸えるようにできれば、もっと気持が大きく、元気にもなるんだろうに。ねえ、お前、こうして高い所に出て、広々としていて清々《すがすが》しい空気を吸うと、なんともいい気持ちじゃないか？

女官　本当に皆、馬鹿でございますね。目先のちっぽけな利益にばかりあくせくしているから、遠くにある大きな幸福を考える余裕も力もないのでございましょう。

虞姫《ぐき》　ああ、幸福か。思えば私もあの頃は本当に幸せでしたよ。粗末ではあったけれど、あの塗山《とざん》の家で、月のきれいな夜に、やさしかった養父《ちち》と一緒に円窓のそばに腰かけて、戦争などの話をしながら、あの方がいらっしゃるのを待っていた頃は。あの時の痛いような胸騒ぎを思い出すと、今でも胸がゾクゾクします。けれど今思えば、あの純粋で、未来の幸せを夢みていたあの頃のほうが、かえってそれを手に入れてしまった今よりも幸福だったのですね。なにしろあの頃の私は、愛というもののほかは何も気にならなかったんですから。

女官　私の死んだ父が、こんなことを申しておりました。幸福というものは鬼火《おにび》のようなもので、前にあるかと思うと後ろに見える。それが自分のところに出ている時には人は気がつかない。そして手の届かない遠いところにあるときにはとても美しくみえるものだと。それでもお妃《きさき》さまのよう

思えばあの頃は本当に幸せでした

虞姫《ぐき》　なお方が「まだ幸せでない」などとおっしゃったら、天下に幸福だといえる者は誰もいなくなってしまいます。

女官　いやね、私は自分が「幸せじゃない」などというつもりはありませんよ。あの方は昔と変わらず私を愛して下さるし、私もまたあの方を……。(項羽の夢にうなされている声が恐ろしげに響く) ああ、あの方はまたうなされていらっしゃる。(額に手をあてる)

虞姫《ぐき》　お起こしにならないのですか？

女官　あの方、近頃は剣の束を握りしめていないとお休みにならないの。そのうえ、何か悪い夢にうなされると、夢うつつのまま剣を振り回されるのです。

虞姫《ぐき》　私は大王さまが、よい夢をご覧になることをお祈りしております。だって、たかが夢ですけれど、大王さまがご覧になるものは、天下の運命にも関わるのでございますから。

女官　そうか、ではお前はもう下がっておくれ。あの方はもうお目覚めになったにちがいありません。じきにこちらにおいでになるでしょうから。あの方が私のそばにいらして、何かと私にあたっていらっしゃるときが一番おくつろぎになるのです。そうだね、私はお迎えに行かないほうがいいでしょうね。ここで鏡でも見ていましょう。

では、これで下がらせていただきます。(去る)

虞姫《ぐき》、ひとり鏡を見ている。

項羽《こうう》　（ヒョウ革の服を身につけ、青ざめた顔で何かを呟《つぶや》きながら奥より出てくる）それができるものなら……やってみろ。遠慮なんてしなくてもいい。もしそうなったら俺が負けたってことだ。俺は断じて負けた時に「勝った」とはいわない。しかし勝っている時に「負けた」とはいわないがな。（ぐったりと腰をおろす）

虞姫《ぐき》　（近寄って）あなた、あなたの好きなぶどうをお持ちしましたわ。

項羽《こうう》　あ、茶をくれ。（またつぶやく）もし、お前らが嘘つきでないというなら、俺が嘘つきになる。しかし、もし俺がそうじゃないなら、お前らが嘘つきなんだぞ。

虞姫《ぐき》　もしあなたが嘘つきでないならなんて、大王さまであるあなたが、そんなことをおっしゃるなんて。

項羽《こうう》　そうだ。俺は大王だ。だから俺は安心して、わざとそんな冗談を口にしたくなるのだ。ははは、面白いだろう？　今まで俺になんとなくすり寄っていた諸侯たちも、もうそんなことをやっていられなくなったわけだ。なにせ俺はやつらがしたくても出来なかったことを、思うがままにしているのだからな。やつらは俺に何かケチをつけずにはいられないのだ。だが、もしやつらがそうすることで、俺に寂しさを感じさせられると思ったら、これほど無駄なことはない。俺は征服という何よりの証拠を作ってきているんだからな。ふん、俺をねたむウジ虫どもめ、遠くから、せいぜいわざとらしく平静《へいせい》を装《よそお》って、俺の見えないところでケチをつけていればいい。俺はただ笑うだけだ。ははは……。

虞姫《ぐき》　（項羽の言葉の間に、自ら茶を入れて項羽に差し出す）恥ずかしいという気持ちさえ持っていなければ、太陽にだってケチをつけることはできますわ。あえて私たちが太陽に向かってつばをはきかけようとしても、天の太陽は、ただ笑ってそんな私たちを見下ろすだけでしょう。そして唾を吐いた者は、自分で自分の唾を浴びるだけなのです。

項羽《こうう》 もちろんだ。そして見逃してやるということもまた、人生の法則だしな。（急に鋭く）だがお前は劉邦《りゅうほう》を恐れているのだろう？

虞姫《ぐき》 （ドキッとして）まあ、何をおっしゃるのです、あなたは？ どうして私が、たやすく殺せるところを何回も見逃してやったような者を、おそれる必要があるのですか？

項羽《こうう》 はは、お前は少し馬鹿だからな。ところでさっき、俺はこんな夢を見たのだ。俺が一人の亡者《もうじゃ》の頭をここから（欄干《らんかん》の外を指し）下へグンと踏みつけてやると、そいつは丸太のように死の谷へ沈んでいく。この城壁の下は、底知れぬ闇にとざされた死の谷になっていた。と、また見覚えのある顔が、闇の中から、はげ頭をもたげてふわふわ浮き上ってくる。それはいつだったか、そいつが余りに弱り切っていたので、俺がお世辞をいって、励ましてやったやつだった。案の定、やつは勘違いして、俺の上に立って威張《いば》ろうとしたので、逆に踏みつぶしてやった恩知らず者の顔だった。で、俺はそいつを（身振りで）こう突き落としてやった。すると今度は三つも四つも同じようなはげ頭が浮き上がってくる。俺は片っ端から、そいつらをグイグイ下に踏みつけてやっていたら、しまいには数えられないくらいの頭が浮き上ってきて「項羽、きさまの力では俺たちはおさえられないぞ。秦《しん》は十五年で亡んだ。しかし、きさまは五年で亡びるのだ」と、口々にこういうんだ。ふん。

虞姫《ぐき》　昔、ある金持ちが、下男に金を盗まれる夢を見ておそろしくなったそうです。そこで、あるだけの大金を持って家を逃げ出したのですが、道で盗賊にあってすっかり身ぐるみ剥《は》がされてしまったという話がありますわ。

項羽《こうう》　まあ夢というものはそんなものさ。だから俺は、大きな声でその亡者《もうじゃ》どもを笑い飛ばしてやった。すると今度は、その落ち武者の亡者《もうじゃ》どもが、いかにも情けない姿でこんなことをいいながら、果てしなく行列していくんだ。「漢王よ、自由の主よ、われらをこの暴君と滅亡から救いたまえ」だと。

虞姫《ぐき》　（寂しげに笑う）

（笑って）本当に、あなたは病気をしてお休みになっていると、本来のあなたでは全然いらっしゃれないのですね。ちょうど火が燃えている間だけが火であるように、あなたは力に充ちて闘っていらっしゃる時だけ、あなたなのですわ。

項羽《こうう》　俺はやつらのことを考え過ぎるのだ。もちろん俺にはよくわかってるさ。それらがただ、みにくい嫉妬だということ、それに人間くらい嫉妬ぶかい生き物はないこと、そしてやつらが内心、俺が恐くて仕方がないということをな。やつらは獅子の威を恐れて、その力を身に感じれば感じるほど、獅子を悪者にして、その額に暴君の烙印《らくいん》を捺《お》したがる弱虫の狐《きつね》どもだ。やつらは俺の力を羨《うらや》んでいるのだ。それでその圧迫の息苦しさから逃れるために、むりやり俺の力をいやなものだといって、浅はかな暴力に見せようとしているのだ。だが俺は、本当の実力を示さなければならないほどの相手に、まだ出会うことができていないのだからな。

虞姫《ぐき》　とはいっても、あなたはもう十分に、あの者たちを征服しておしまいになったのですから、今さ

あれは芽出度い
鳥ですしかし
矢張り高く
飛び過ぎ
てゐる為めに
あんなに淋しい
聲を出す
のでせう

あそこをご覧くださいませ

やつらを射落としてくれる

らそんなつまらないことを気になさるのは、本当に馬鹿気《ばかげ》ていますわ。どう逆立ちしても、結局は妬《ねた》まれる者は、妬《ねた》む者よりは幸せなのですよ。およそ心がいやしいということほど、不幸なことはないのですからね。

項羽《こうう》 (寂しさを抑《おさ》えて)だから俺はやつらを憐《あわ》れんでいるじゃないか。しかし、それがやつらには通じない。まるで通じないのだ。

虞姫《ぐき》 それなら、私たちは王者として、それがいつか通じる時を静かに待っていようではありませんか。

項羽《こうう》 (虞姫《ぐき》の言葉をよく聞かずに)俺は生まれながらにして、強い翼をあたえられた。俺はその翼で羽ばたくことを運命づけられていた。そして羽ばたけば、俺はいやでも高く飛ばないわけにいかなかった。が、その強い翼が、俺のわざわいになったのだ。

虞姫《ぐき》 誇るべきですわ。けれど、ちょっとあそこをご覧くださいませ。あんなにたくさんの鶴が、私たちを祝福するように舞っているではありませんか。

項羽《こうう》 (うつむいた顔をあげ)何が、俺を祝福してるって? お前には、あのあわれな啼《な》き声がそんな風に聞こえるのか。

虞姫《ぐき》 あれはめでたい鳥ですわ。しかし、やはり高く飛び過ぎているために、あんな寂しい声を出すのでしょう。

項羽《こうう》 見ろ、あいつら、皆、西のほうへ飛んで行くじゃないか。巴蜀《はしょく》のほうへ。ふん、やつらを射落としてくれる。(弓を取ろうとする)

虞姫《ぐき》 おやめください。あなたが天下をお取りになったということは、やはりあなたが何かに祝福され

項羽《こうう》　ていらしたからですわ。あなたは、その祝福を傷つけるようなことをなさってはいけません。

虞姫《ぐき》　しかしやつらは俺を捨てて行くのだ。(弓に矢をつがえ、鶴を狙って射る) はっ！　一羽に命中だ。突き刺さった矢に苦しみもがきながらくるくると墜《お》ちて行くわい。(虞姫《ぐき》、ため息をついて横を向く) どうだ。きれいじゃないか。白い羽が、青空の中で蓮の花びらのように散っている。

項羽《こうう》　他の鶴はうらめしそうに鳴きながら、逃げて行ってしまいますわね。

虞姫《ぐき》　(またグッタリとして弓を投げ捨て) 皆、行ってしまえ。逃げてしまえ。俺は一人でいたいのだ。覇者は自分以外の者からの祝福なんていらないし、それを受けることを恥じるものだ。(間) お前は寂しそうな顔をしているな。

項羽《こうう》　私は幸せすぎるからですわ。

虞姫《ぐき》　(反抗的に) そうさ！　俺たちは幸福だ。孤独な太陽のように幸福だ。

項羽《こうう》　寒くなってまいりましたわ。

　(興味なさそうに) ここは高いからな。

間。范増《はんぞう》登場。

范増《はんぞう》　(礼をして) 申し上げます。小手ならしにちょうどいいような事件が一つ起きたようでございます。

項羽《こうう》　何だ。

范増《はんぞう》　予想どおり、趙が反旗をひるがえしました。

項羽《こうう》　誰か煽《あお》ったな？　あそこは昔から、すぐにのぼせるような連中が多くて、あせるとすぐに頭に血が上がるからな。煽《あお》られるようにできた国だ。

范増《はんぞう》　これには明らかに黒幕がおります。ご承知の通り、趙王があんな風でございます。秦《しん》を滅亡させた時、劉邦《りゅうほう》が逃がしてやった例の三世が、我々の隙《すき》をねらうために趙に身をひそませていることはわかっておりました。それを、あのこざかしい張良めがそそのかしたものとみえます。そして表面では、秦《しん》の三世皇帝が、趙と協力して反旗をひるがえしたということにしているのでございます。

項羽《こうう》　そして、今さら俺に三世皇帝を殺させて、主殺しの汚名を着せようというのか？　のろまめが。

范増《はんぞう》　たしかに、それも一つの策に相違ないでしょう。しかし主な目的は、そうやって味方の軍勢の大部分をはるばる趙のほうに引きつけ、少しでもわが兵力を趙との合戦で削りとっておくことにあるでしょう。そしてその留守の間に、韓信《かんしん》に漢の軍をしずかに中原《ちゅうげん》まで押し出しそうとするに違いないでしょう。

項羽《こうう》　(笑って) あの山の奥から、なにが出てくるというのだ？　山猿の群れでもくり出そうというのか？

范増《はんぞう》　しかし砕かれた種子も、塵芥《ちりあくた》の中で芽を出します。たしかにやつらはあの蜀《しょく》の桟道《さんどう》を焼き落としてしまいました。それで中原《ちゅうげん》との大動脈は、完全にたたれてしまっています。しかしそれはいうまでもなく、ひとつにはこちらに油断をさせようとするためと、もうひとつには漢の軍隊全てに劉邦《りゅうほう》を捨て故郷へ帰ろうとする気持ちを断つために行った策でございます。そのおかげで、劉邦《りゅうほう》に従った者は皆、「生死を劉邦《りゅうほう》とともにするより外はない」と決心しなければならなくなったのです。さらに次にやつらがあの山奥の巴蜀《はしょく》から出てくる時には、牢屋から自由な天地へ解き放された者のような希望と、密かにたくわえてきた力を味方につけて、ほとばしるように突き進んでくると思います。

虞姫《ぐき》 ではやつらが抜け出てくる道はあるということですね。それをさせないためのよい考えはないのですか？

范増《はんぞう》 いえ、向こうがそういう策に出てくるなら、こちらにもその裏をかく手段はいくらでもございます。まず趙に大軍を出すように見せておいて、主力をひそかに蜀《しょく》の国境に配置しておけば大丈夫だと存じます。それからもうひとつの有効な手段は、やつらの故郷にいる劉邦《りゅうほう》の一族を捕えておくことでございます。

項羽《こうう》 何、人質を取るというのか？

范増《はんぞう》 人質に取るというよりも、単に自宅に軟禁させてしまうのでございます。あの呂妃《りょひ》という劉邦《りゅうほう》の妻は、変装して絶《た》えず方々に出没しては、いろいろな陰謀《いんぼう》をめぐらせております。あの金祥鳳《きんしょうほう》というにせ者の小僧も、まったく悪知恵のはたらくあの女の手一つに操《あやつ》られていたのです。それに気がつかなかった私たちの手ぬかりのために、味方の受けた損害はご承知の通りです。過ぎ去ったことはしかたないとしても、これからまた同じ失敗をもたらすかもしれないわざわいの種を、放っておく必要はありません。小事もおろそかにすれば、大損害のもとになります。いずれにしても、あんな女を捕えないでおくことは、毒蛇を野に放しておくようなものであると存じます。

虞姫《ぐき》 しかしどうやったらその蛇を捕まえられるのでしょう？

范増《はんぞう》　わけもありません。あの女には子供がおります。その子供は劉邦《りゅうほう》の母親と一緒に、あの故郷の豊沛《ほうはい》に残っています。それを捕らえてしまえば、小鳥の巣を取って親鳥を捕まえるよりもたやすく、あの女を捕らえられるでしょう。

項羽《こうう》　(欠伸《あくび》をして) 見ろ。欠伸《あくび》をしても涙は出るものだ。ということは、今の世に満ちているという怨《うら》みつらみの涙は、とどのつまり欠伸《あくび》に過ぎないということではないか？　ああ、俺はまた血を見たくなってきたぞ。しばらく吐き出せなかったものだから、俺の血は身体の中でよどんで腐ってしまったのだろう。おかげで俺はこんなに太ってしまった。やつらは俺を「人食いの青鬼」と呼んでいるようだが、実際の俺はそんなものじゃない、はるかに血に飢えた鬼だ。今日よりも明日、明日よりも永遠のために、みずからの血をいけにえに捧げるべきなのだ。それを嫌がる腰抜けたちが、この世の中に、虫のいい自己防衛とお手軽さばかりを充満させている。そんな世の中で、突き詰《つ》めるべき天井をもっと高くするために、俺は生まれたのだ。やつらがいう人情とかが何であるかなど、俺の知ったことではない。流された血だけが真実なのだ。

家臣　(登場) ただ今一人の使者が参りまして、大王さまにお目通りを願いたいと申しております。懐王からの使者らしく見えます。

項羽《こうう》　ここに通せ。

家臣　ハッ。(退場)

一人の使者、あわただしく登場。箱をたずさえている。

使者　（礼をして）私は今まで懐王に仕えておりました者でございます。つねづね懐王が大王さまに反感を抱いて、裏で劉邦《りゅうほう》と手を結んでいるのを、よくないことと思っておりました。私はいく度となくお諫《いさ》めしたのでございますが、懐王は若気の迷いと野心のために、ますます劉邦《りゅうほう》の甘言《かんげん》にのせられて、そちらに傾いていってしまいました。そして、とうとう私が強く反対したにもかかわらず、先日密かに彭城《ほうじょう》を二、三の臣下とともに抜けだして、あの劉邦《りゅうほう》のおります巴蜀《はしょく》に、忍んでいこうとしました。

項羽《こうう》　懐王が俺を疑ったのは邪推《じゃすい》とはいえんぞ。むしろしごく当然な推察だ。それでお前は、懐王の謀反を俺に密告しにきたのか？

使者　私は大王さまの御為《おんため》になると思い、涙をのんで懐王を道中でお命を頂だいしたのでございます。

范増《はんぞう》　（絶望的に傍白する）チッ、何てことだ。

項羽《こうう》　何？　お前が懐王を殺した？　お前の意志でか？　それとも、誰か他の者の命令でか？

使者　私ひとりの忠節からいたしました。私はその首を持参したのでございます。（箱を開け、懐王の生首を取り出す）

虞姫《ぐき》　（顔をそむけて）ああ、私たちはどうあがいても何かにたたられているのだわ。

項羽《こうう》　（ジッとその首を見て）きさまは俺の命令を先読みして、独断専行したのだな。うむ、そのほうの目的通り褒美《ほうび》を取らそう。その首をもってくるがよい。

使者、その首を持って項羽の前へ出る。そのとたん、項羽は素早く剣を抜いて使者の首を斬り落とす。

項羽《こうう》

お前のような忠義者にはこれが最上の褒美《ほうび》だ。もし俺の代わりに劉邦《りゅうほう》が大王であったら、お前は同じように俺の首を断って、忠義者らしくそれを劉邦《りゅうほう》に捧げるだろう。(懐王の首を取り上げて)小さな花の蕾《つぼみ》よ、せっかちな太陽のために、あっというまに踏みつぶされてしまったな。

こういってその顔を見入っていたが、急に恐ろしいものを見るように「おお!」と声を上げて、その首を欄干《らんかん》の外に投げ捨てる。虞姫《ぐき》と范増《はんぞう》は驚いてそれを見る。

(幕)

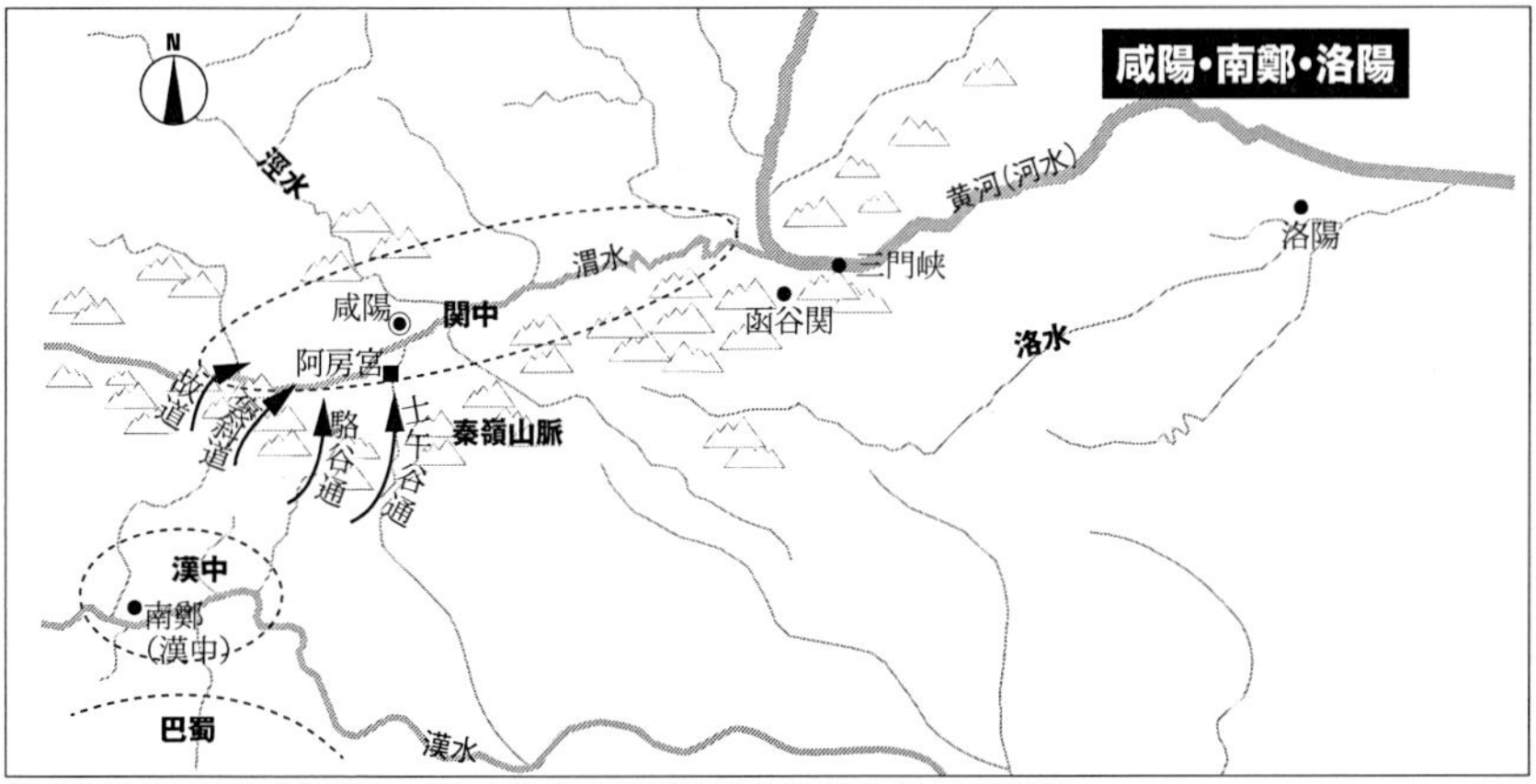

『項羽と劉邦の時代』(藤田勝久/講談社)、『中国軍事百科全書』を参考に訳者作成

第2場

巴蜀《はしょく》山中、劉邦《りゅうほう》の駐屯地

うっそうとした林間地帯にある空き地。劉邦《りゅうほう》、韓信《かんしん》、蕭何《しょうか》、樊噲《はんかい》、夏侯嬰《かこうえい》たちが話し合っている。

劉邦《りゅうほう》　ここに来てからもう二年か、早いものだ。またも新緑の間に間に花は咲き、そよ風はかおり、小鳥たちは嬉しそうにさえずりあって、万物皆それぞれの生を表現し合い、誇り合い、活《い》かし合い、祝福し合っている。おととしの春は、まだ俺たちといくらも背丈が変わらなかったこれらの木々は、日光が十分でないにもかかわらず、もうあんなに伸びてしまった。あれを見るにつけても、俺たちがこの地に来てから、もう少なからぬ日数が過ぎたということがわかるな。

蕭何《しょうか》　しかし私たちもその二年の間、決して無為に過ごしていたわけではありません。中原《ちゅうげん》の者が華々しく表面だけの活動にせわしなく日を過ごし、その浮わついた働きぶりに酔っている間に、私たちはこの深山の僻地《へきち》で、人知れず目に見えない真の修業をつみ、力を養ってきたのでございます。

劉邦《りゅうほう》　そうだな。寂しい二年だったが、俺たちは無駄に過ごしたわけではなかった。はじめの頃は俺たちの追放を聞いて泣き悲しんでいた中原《ちゅうげん》の民も、今ではもう過ぎ去った時代に埋もれてしまった者として、たまに俺のことを思い出すくらいになってしまっただろうよ。たとえ俺をまだ忘れない者がいるにしても「あれは善い人だった。しかし要するにあの人も、結局は項羽の敵ではなかったのだ。つまり、あの人も、戦乱の渦の中に生まれて渦の中に消えて行く、気の毒な泡に過ぎなかったのだ」などといっているに違いない。しかしな、俺は滅びたのでもなければ、消えてもいない。見ての通り、俺はこんなに元気に生きている。昼も夜もまとわりついて俺を苛《さいな》んだあのひどい寂しさが、かえって俺の使命に対する熱望と、生に対する執着の火を燃やし続けたのだ。俺は引き離されれば離されるほど、ますます強くそれを求めてしまう。見ろ。中原《ちゅうげん》にいたとき、広く豊かな黄河の流域を明るく照らしていたあの太陽は、このうっそうとした森の中でも、その光をすみずみまで強く差込ませようとしているではないか。これほどに濃い樹木の繁みがその光をさえぎっていても、負けずになんとかその中に突き入ろうとしているではないか。

韓信《かんしん》

生命《いのち》の力の弱い者は、しばらくその活動を押さえつけて外界との交渉を断っておけば、たいがいその間にいのちの炎をしなびさせて枯れてしまうか、ダレてしまいます。彼らは何か目に見えていないと、火を焚き続けていくことができないのです。項羽はうかつにもその論法で私らを葬ろうとしたのでしょう。しかし本当に力強い生命《いのち》は、いたるところに生命《いのち》の力を見出し、それを糧《かて》にしてますます育って行きます。いかなる闇《やみ》も、生命《いのち》の炎を強くこそすれ、鎮《しず》めることはできません。こういうときに真の炎を持っているかいないか、またその炎がどのくらいの力を持っているのかがわかるものなのです。

劉邦《りゅうほう》

いや、俺という炎も、お前たちの炎がかたわらにいて、たえず俺を支えてたすけてくれたから今がある。もし俺一人だったら、持ちこたえることはできなかったろう。お前たちとともにいて、互いに熱を分け合ったり加え合ったりしたからこそ、俺は自分の火力を保つこともできたのだ。

俺はお前たちがいてくれたことを、心からありがたく思っているぞ。

夏侯嬰《かこうえい》　かたじけないお言葉、痛み入ります。私たちは、この僻地《へきち》に封ぜられましたが、それはかえって、私たちの互いの運命を分かちあうことで、より強く結びつける機会となりました。中原《ちゅうげん》にいたとき仲の悪かった者同士も、ここにきてからというもの同じ苦難の鎖につながれてからは、兄弟のように仲良くなったりしています。いかなる軍勢といえども、かつてこの漢軍のように、心から一致団結しているものはないでしょう。あの大楚《そ》も一見強そうに見えますが、兵を率いている将軍たちは利己的で、その心はてんでばらばらになっております。皆の利益が一致している間はおさまっていますが、いざという時は何の頼みにもならない敵同士です。そこへ行くと、こちらは心強いものです。しかしわが軍のように、上と下が心を一つにしていられるのも、ひとえに漢王のご人望によることは、我々が皆感じているところでございます。

劉邦《りゅうほう》　（あごひげをなでながら）いや、はじめてこの地に足を踏み入れたときに感じた、あの絶望と無念からくる孤独感は死ぬまで忘れられないだろう。「こんなところで人間が生きていけるものか、俺はリスや苔《こけ》と一緒に、この山中でふがいなく朽ちはてなければならないのか」と思った時の気持ちは。俺は自分と運命をともにするお前たちの顔を見るのがつらかったよ。あの頃の俺は、いつもどうにかしてここから逃げ出すことばかりを考えていたものだ。しかし、お前たちに強く諫《いさ》められたり励まされたりしながら、ひと月経ち、ふた月経つうちに、はじめの頃ほどここが嫌いではなくなった。慣れというものは妙なもので、こんなところでも満足して平和に暮らしているきこりたちや、狭い畑を耕している善良な農夫らとまじわるにつけ、俺は次第にここへ追放されてきたことが無意味ではなかった、いやそれどころか、かえって俺のためによいことであったと思えてきた。沈黙と謹慎《きんしん》をこれほど長く続けることは本当に耐えがたいものだった。しかし最後の勝利をつかむためには、これは俺にとって天が与えてくれた実にすばらしい試練であり、もし俺に天下の支配者たる資格があるなら、それが現われるのは今、この逆境においてであると思った。そう思って耐えようとすれば、ここの質素な生活もまたかえって喜ばしいものにも思えた。ただ哀れなわが妻子の身の上が、どうしようもなく気がかりではあったが。百姓たちは、毎日飯を炊いて、おかずも持ってきては食わせてくれる。さびしい時は、お前たちと集まって未来のことや計画の話に没頭する。すると俺のふさぎ込みがちな気持ちも紛《まぎ》れて、時が経つのも忘れてしまう。ある時には狩りをして遊び、林間《りんかん》の小川に魚を捕って楽しむ。いや、いろいろ思い出してみると、ここでの愛の生活こそ、俺の一生で一番楽しい時であるかも知れぬな。

部下の者数名、名酒と盃《さかずき》とを持って出てくる。

劉邦《りゅうほう》　おお話に夢中になって忘れておったわ。そういえば今日、皆に集まって貰ったのも、俺の誕生日であったからだ。さあ、遠慮なく飲んでくれ。この山中での平和な語らいも、もしかしたらこれが終わりになるか知れぬ。

一同　(盃《さかずき》を捧げて立ち上がり) 漢王さまのご健康をお祝い申し上げます。漢王さま万歳!

一同の上に花散りかかる。小鳥のさえずり。

樊噲《はんかい》　この和気あいあいとした我々のつながりの深さを、項羽のやつに見せてやりたいものです。やつがこれを見たら、がっかりするというよりは驚くでしょうな。

韓信《かんしん》　(笑って) いや面白いもので、「幸福の鳥」はおかしなところに現れるものでございます。世間の者から見たら、我々ほど不幸な者はなく、項羽ほど幸福な者はいないように見えましょう。ところが事実はその逆で、幸福なはずの項羽は、「誰かに天下を奪われはしまいか?」、「暴虐の復しゅうをされはしないか?」と毎日毎晩、さい疑心にさいなまれ、恐怖と不安の中にひとり閉じこもって暮らしているらしいです。そして、虞美人《ぐびじん》の入れたものでなければ、茶の一杯もすることのできないといいます。反対に我々は、貧しい農夫と変わらない不自由な生活をしていながらも、心は希望に充ち、良心の安心に満ちて何も呪うこともなく、恐れることもなく、常に真実をかかげて、自由に自然の懐《ふところ》で生活しています。やっと我ら、どちらが幸福であるかはただ天のみが知っているのでございます。

劉邦《りゅうほう》　今までの所、俺は不思議と運のいい男だ。あの鴻門《こうもん》の会でも俺は死ぬべきところを助かった。しかし韓信《かんしん》、あの項羽が俺に靴を取って履《は》かせろといった時、そして俺がこのひげでその靴の汚れを払ってやった時だ。もしお前が、チンピラたちの股をくぐったという手本を俺に見せてくれてなかったならば、俺は我慢しきれずに、あの場で死んでいたかもしれなかった。よい行いの手本は作っておくべきものだな。それは人を生死の境から救い出すこともできるのだ。

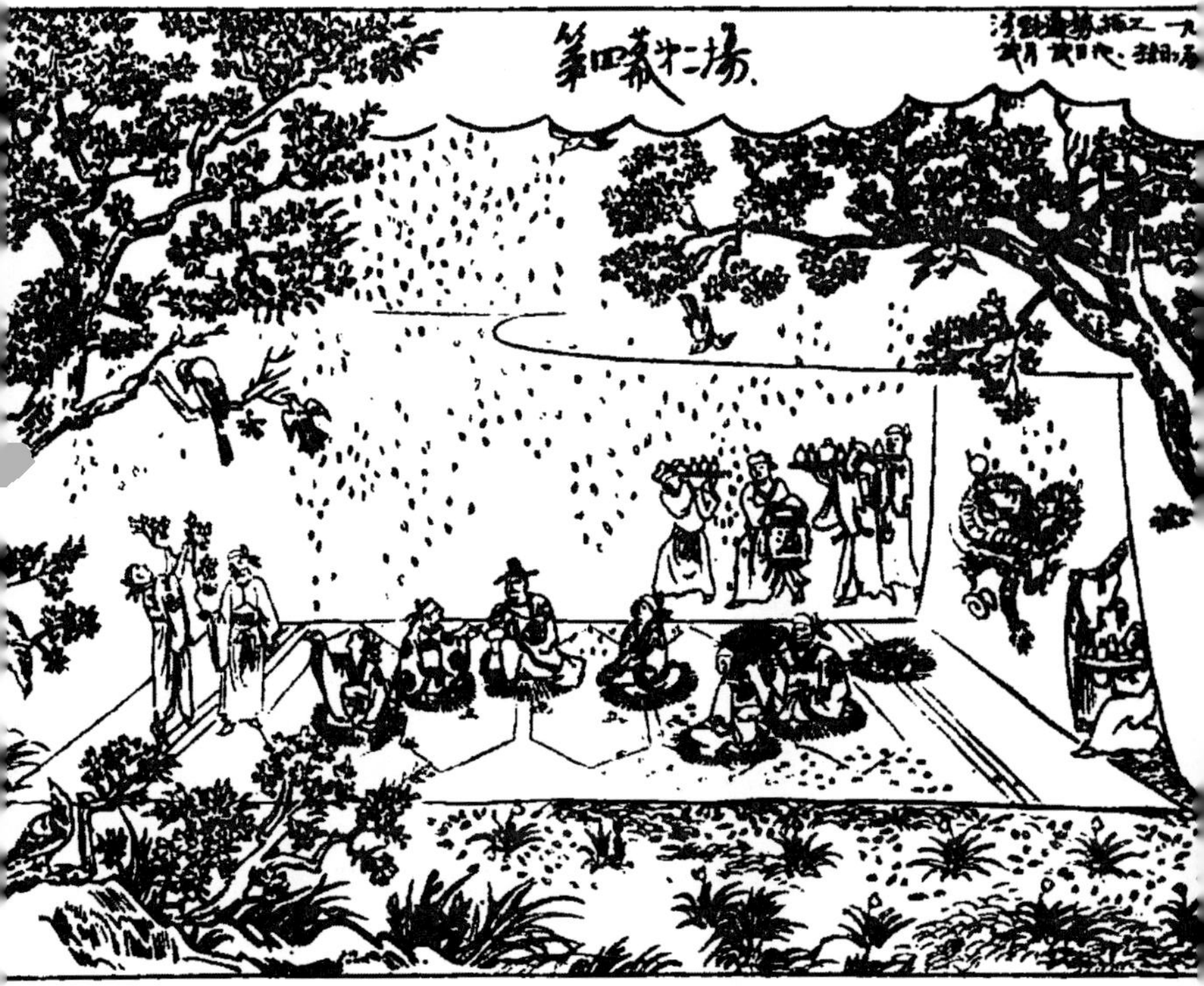

そうだ、時機はついに来た

韓信《かんしん》　しかし、私のことを思い出して下さった時、漢王さまは、取るに足らないことでも、力のある人にとっては自分を活《い》かす材料になるという手本を、ご自分でお作りになったのです。が、とにかく我々はもう十分に待ちました。機は熟すだけ、熟しております。これからはいよいよ中原《ちゅうげん》に打って出て、この二年の間を我々がどのように暮らしたかを示さなければなりません。

劉邦《りゅうほう》　そうだ、時機はついに来た。俺は項羽一人だけを問題にしてるわけではない。あれはあわれな男だ。あの男の気持ちには同情さえできる。俺は特に、彼を不幸にしてやりたいとも思わなければ、またその不幸を喜んだりもしない。俺は貧しい家に生まれたが、温かい愛の微笑みのなかで育った。俺がこの世に出て、はじめて見た顔は優しい笑顔だった。そしてそれから、その笑顔をかき消そうとするかのように、さまざまな不幸がかわるがわる来たが、ずっとその笑顔が、一生、俺の心の奥底に残っている。俺は絶望してもおかしくない苦難の中でも、その笑顔が浮かぶし、つらい悲しみの後ろにもその笑顔が見えるのだ。しかし落ちぶれた貴族の子である項羽は、うわべだけの笑顔に囲まれてはいるが、一生本当の笑顔を見ることのない不幸な男だ。俺はやつが俺に加えた非道な仕打ちを思うと、思い切り彼を打ち砕いて怨《うら》みの溜飲を下げてやりたくもなるが、その一方で許してやりたくもなる。やつは寂しいのだ。やつだってよく知れば、善いやつに違いない。俺は彼と運命を賭して争わなければならない運命が本当に残念だ。しかし、そんなことをいってはいられない。俺は民衆を幸福にしなければならない。俺はそこに真の生きがいを感じられる仕事をやり遂げずにはいられない。そしてそのためには、彼とも生命《いのち》をかけて戦わねばならない。みずから不幸の礎《いしずえ》の上に、幸福の宮殿を築こうとしている項羽には、人民を幸福にすることなどできはしないのだ。

蕭何《しょうか》　そうでございます。あの中原《ちゅうげん》の平和と民の安寧のために、天によって召し出される者があるとすれば、それは漢王さまのほかにはないことは申すまでもありません。もし漢王さまがそのような方でないなら、どうして天下の精鋭《せいえい》がこれだけ集まることができたでしょうか。この半年間で、項羽は五千人の人夫を無理やり集めて、彼らをむち打って自分の巨像を造らせ、祝典を行ったそうです。やつは以前、始皇帝のことをあざ笑っておりましたが、今や同じ事をしているのです。中原《ちゅうげん》の民は、ひどい干ばつの後の慈雨《じう》を待つように、漢王さまのお出ましを今日か明日かと待ち望んでおります。そんな時に、兵士にも秘密にしておいたあの間道《かんどう》から、我々がだしぬけに打って出たならば、やつらはさぞかし驚きまどうことでありましょう。

夏侯嬰《かこうえい》　聞くところによると、項羽と范増《はんぞう》の間柄も、もう昔のようではないようです。「項羽の成功の半分は范増《はんぞう》の力だ」という人々の言葉が、どうにも気に食わないようです。それにだんだん自信がぐらついてきているため、前よりも人の言葉を受け容れる余裕が乏《とぼ》しくなってきているようで、近頃では范増《はんぞう》が右ということは何でも左というとのことです。范増《はんぞう》は、項羽への忠義から、自分の考えの正しさをわからせようとすればするほど、項羽の機嫌を損ねていくことになるのです。まさに、こちらとってはどんどん具合がよくなるわけです。

韓信《かんしん》　シッ。今からそんなことをあてにして油断をしたら、それこそ自ら破滅を呼び込むようなものです。そんなことが兵士に知れて士気が弛《ゆる》むようになったらどうします？　こういうことはいつも大事なのだが、今は特に気をつけるべきだ。うんと緊張していなくてはならない。我々はあちら

劉邦《りゅうほう》 に項羽が十人おり、范増《はんぞう》が百人いるつもりでぶつからなくてはいけない。うむ。そして皆の希望を、もっと大きなものにしてやらなければならないぞ。我々の目的は、ひとり項羽を倒すことにあるのではない。項羽は、ただ我々の行く手に横たわる最初の障害に過ぎないことを教えてやるがいい。そして、もし俺が項羽をたおしたら、今度はこの俺をたおしてみるがいい。そのくらいの意気込みを持っていれば、項羽が強いということも、我々にはよい糧《かて》になるというものだ。ずっと待ちこがれていた今という時機がくれば、この山奥の陣所にも名残り惜しいが、そんなことをいっている時ではない。人生は戦いだ。俺はまた戦って、戦って、戦いぬくぞ。大いに血を流そうではないか。お前たちも、張良からもういちど知らせがきたら、すぐ明日にでも、ここを出発するつもりで用意を頼むぞ。

樊噲《はんかい》 我々は戦いに飢えています。いよいよまたこれからあの戦場に出て、久しぶりに汗を流せるかと思うと、寝ていた勇気と力が目を覚まして、腕が鳴るのをおさえられない気がします。

一同 (剣を抜く) 漢王さまの御《おん》ために、最後の血の一滴まで捧げることをお誓いします!

劉邦《りゅうほう》 ああ、何だか、俺は山頂に立って、朝日の昇るのを見ながら飛び立つ用意をしている鷲のような心持ちがする。俺の胸は希望に燃え、全身は喜びの力にあふれ、そしてわなないている。俺もまた、お前たちのために今までにない奮闘を見せるつもりだ。やあ向こうから使いがやってきた。何の便りか、悪い知らせを聞きたくないものだが。

使いの者登場。

使者　（礼をして）張良どのからのお手紙にございます。（竹筒を出して劉邦《りゅうほう》に渡す）

劉邦《りゅうほう》　（開封しながら）何か不吉なしらせでなければよいが……。（読みすすめていくうちに「おお……」といって手にした盃《さかずき》を落とす）

一同　な、何ごとでございますか？

劉邦《りゅうほう》　とうとうやられたのだ。恐れていたことが起こったのだ。（みるみる顔色を変え、極度の絶望と悲嘆に沈み、歯を食いしばる）妻子が人質にとられた。そしてわが老母は病で床に伏《ふ》していたのだが、項羽の館にひきたてられていく途中に亡くなった！

蕭何《しょうか》　何と申し上げてよいやらわかりません。しかし文面はただそれだけでございますか？

劉邦《りゅうほう》　張良はどうにかして救い出す道はあろうといって慰《なぐさ》めている。しかし、どうしてそんなことを期待できよう。ああ、俺はもう駄目だ。

一同、歯を食いしばりながら、無念と同情にたえない様子。

（幕）

第3場

九里山《くりさん》戦場、項羽の陣

階段の上、正面階段の下には軍勢が集まっている。その槍や矛が見えている。

項羽《こうう》 （ヤキモキして）きさまら、何をグズグズしている！　誰もまだ休戦を命じてはいないぞ。こんな張り子のような敵勢を打ち破るのに、いつまでかかってるのだ。恥さらしめ。俺は是が非でも日暮れまでに片をつけてやるつもりでいたのに、もう日は暮れかけているじゃないか。さあお前たち、俺の後につづけ。追撃だ！　俺が命令をだすまで勝手に退却したものは、手討ちにするぞ！

英布《えいふ》 ずいぶん追撃してみましたが、まるで手応えがないのです。時々思いがけないところから、敵の将軍らしい者が不意に現われては我らをののしります。そして二、三回斬りあうとすぐ、我らを釣り込むようにさっさと退いてしまうのです。それを追いかけると、突如かたわらから太鼓を鳴らして緑の旗を掲げた趙の軍隊があらわれ、その先にはまた魏や燕の伏兵が隠れているというような有様で、まるでこちらを、あてもなく引っ張りまわして混乱させ、疲れさせようとするやり方です。馬鹿にするにもほどがあります。

項羽《こうう》 確かに、やつらは俺に腹を立てさせる作戦は成功している。が、それがやつらの馬鹿なところだ。俺は腹を立てれば、もっと賢くなる。そして鋭くなる。かまうことはない。ドンドン追いかけろ。

范増《はんぞう》

敵が十の速力で逃げたらこちらは十五の速さで追いかければいい。やつらは俺が必ず追撃してくると思って、なんとか罠《わな》のところまでおびき寄せようとしているのだろうが、まさか俺がそれより先まで進むとは思ってはいないだろう。そこで俺は、やつらの陣の後ろまで突き抜けて、やつらの裏をかいてやろうじゃないか。

しかし、今日はこれでお止《とど》まりになったほうがよろしいかと存じます。ここまで来て、軍を返すのは残念ですが、この先の戦闘がこの一戦とは限らないでしょう。すでに我々は、本陣を去ること八十里のところまで進み出ております。そして本陣はほとんど空になっています。我々がこちらにばかり主力を注いで、後をかえりみずに進んでいる間に、あの留守中の陣になにか問題がおきないともかぎらないでしょう。あの腹黒い韓信《かんしん》が、このようにやすやすと兵をひくのは、何か計略をたてているに違いないです。

項羽《こうう》

ふん、計略か。ひとつその計略とやらにかかってみたいものだ。俺がその計略にかかってやったときに、はじめてやつは狐の知恵が獅子には何の役にも立たないということを知るだろう。その兵法を見れば将軍の人物がわかるというが、さすがは股くぐりだけあって戦術までいやしいわい。俺が留守にしている陣をやつらが襲って、万一あの人質の妻子を救い出そうとも、俺がこちらで夫の首を取ってしまえば、むだな計略だったとわかるだろう。

英布《えいふ》

しかしその夫の居場所がわからないのでございます。やつらの本陣の場所さえ分かっていれば、ほかのものには目もくれず、ただそれを目がけて突き進むこともできます。しかし、それがてんでわからないので、力の出しようがありません。うかうかしていると、敵のとんでもない罠《わな》にひっ

范増《はんぞう》　かかってしまいます。戦いでは一時の強襲よりも、ねばり強い根気が勝ちを占めます。急ぐことは何よりの禁物でございます。それに今までは、こちらにとって地勢がよかったのですが、ここから先は、地の利が向こうによくなるばかりで、これから夜になるとますます戦いが難しくなります。

項羽《こうう》　ふん、畜生らは本当の戦《いくさ》では人間にかなわないから、夜を待つしかないのだ。ならば願い通り、夜にやってやろう。二十四の歳に兵を挙げて、以来七十余りの戦いで一度も負けたことのない俺だ。こんなくだらん戦いに二日も、三日も費やすのは、まったく我慢ならんわ。

項荘《こうそう》、そこへ血だらけになってやってきて倒れる。

項羽《こうう》　どうした！　項荘《こうそう》。

項荘《こうそう》　とんでもないことです！　鐘離昧《しょうりまい》のやつが向こうに寝返っているのです。私はやつが味方であると思って、やつの後ろについてどんどん進んでいったところ、気がついたらまんまと敵地にさそいこまれてしまっていたのです。私がそれに気がついた時には、まわりはもうすっかり敵に囲まれて。すんでのところで討ち死にするところでした。（兵士らにささえられて退場）

英布《えいふ》　やつは自分の利益のためには、義も名誉もカンタンに捨ててしまうような恥知らずですから、そのくらいのことはしかねないでしょう。

項羽《こうう》　ではきさまらも、俺の臣下でいるよりは敵についたほうが得だと考えているんだな。それなら、なぜとっとと俺を捨てて、あのうそっぱちの平和づらの猿どものところにいかないのだ。俺はそんなわざとらしい義理立てまでして、いやいや部下でいてくれなんて、きさまらに頼んだ覚えはないぞ。よしわかった、おまえら、皆あちらにいっちまえ。世界中のやつらが皆、こぞって俺の敵となっちまったらいい。そしてできるだけ大勢でワイワイ太鼓でもたたくがいい。俺もきさまらにはいい加減、飽きがきてたんだ。さあ早く行け！

英布《えいふ》　大王さま！　私は決してそんなつもりで申したのではありません。ただあの卑劣なやつを、皮肉って申しただけでございます。私は大王さまから、そんなとんでもないお疑いを受けるくらいならば、死んでこの誠実な心臓をお目にかけます。（刀を抜こうとする）

范増《はんぞう》　（あわててそれを止める）馬鹿なことをしなさるな。我々の生命《いのち》はつまらない名誉よりも重いのだ。私は大王がやけをお起こしになることを何よりもおそれます。敵もそれを狙っているのでございます。こちらがじれて熱くなればなるほど、向こうは冷静になっていくのでございます。私たちの忠誠を信じてください。あのけしからん裏切り者がひとりくらい寝返っても、こちらが落ち着いて対処できれば、まだまだ味方が優勢なのでございます。それを知っているからこそ、敵はあんな見苦しい手段を取っているのでございます。そう考えれば、こちらは敵の裏をかいて、今日はひとまずこれで兵をひき、また明日新手をもって一気に討ち破ればよろしいかと存じます。

項羽《こうう》　（怒って）老人と女子はいつも同じようなことばかりいう！　范増《はんぞう》、俺はお前の言葉にしたがって「よかった」と思ったためしはないぞ。お前には自分以上の自信を見ると無謀に見えてしまうのだ。ふん、俺はこの苛立《いらだ》ちをやつらに売りつけてやろう、俺がやつらを逆にこらしめてやるまでは、この戦場を去ることなどできないわ！　お前らはまだ俺の身を心配などしているが、それは俺の力を疑っている証拠だ。もともと俺の兵法は、思い切り自分の身を危険にさらすことによって、自分のいまだ知らぬ力を自分にわからせるものだ。俺はわずか三百騎の兵で、一万以上の兵を三日の間、圧倒したこともあるのだ。敵はまんまと俺を罠《わな》にはめた。しかし俺ははじめからそれを知っていた。そしてその罠《わな》にはまったおかげで、俺はさらにたくさんの敵を討ち取ってやった。この間だって、もしあの一寸先《いっすんさき》も見えなくした霧が邪魔しなければ、俺は劉邦《りゅうほう》の脳天を打ちくだいて、馬もろともあの河の中へ蹴落《けお》としてやることもできたのだ。もう、ああだこうだいうな。俺に従いたくなければ従わなければいい。俺は行くだけだ。これから月が上るまでに、俺が何を土産に持って帰ってきたか知って驚くがいい。

項羽は兜《かぶと》を手に取って退場。皆、引きとめることもできず呆然《ぼうぜん》としている。暗転。次の場に変わる。

（幕）

第4場

同じく九里山《くりさん》戦場、韓信の陣

夜。

韓信《かんしん》　(歩きまわりながら) 樊噲《はんかい》のかわりに李左車《りさしゃ》をそちらにまわらせればよかったのだが、あの男の使い道についてはちょっと俺に考えがあるのだ。それにしても項羽を生け捕りしそこなったのは、じつに残念だったな。

曹参《そうしん》　いやどうして、生け捕りどころではありませんでした。やつの力が恐ろしいということは聞いていましたが、まさかあれほどとは思いませんでした。あの辛奇《しんき》と彭越《ほうえつ》のような強者《つわもの》を笑いながらひと槍《やり》で突き落とし、後から駆け付けた猛将樊噲《はんかい》を鉄のむちのたった一撃、それで脳天をぶちわってしまったのです。私は樊噲《はんかい》のそばにいたのですが、こちらに向かってきたので思わず何も考えずに逃げだしてしまいました。まったく生きた心地もしなかったです。

韓信《かんしん》　ははは、ああいうやつは一騎打ちするような相手ではない。なんとか罠《わな》にかけて、囲んで討ちとるしかないのだ。

曹参《そうしん》　ええ、取り囲んで打ちこんだのです。やつが予定の場所にがむしゃらに突進してきたので、味方が一斉に四方八方から雨あられと、火矢をあびせかけたのです。ところがやつめ、傷ついた虎のようにほえ狂って、信じられない力を出し始めたのです。それにまたやつの馬の速いことと自由の利くことといったらないのです。とても手におえる代物ではありません。それ、そこに樊噲《はんかい》の亡きがらを運んできました。

たいまつを持った大勢の兵士、樊噲《はんかい》の亡きがらを担架《たんか》にのせて運んでくる。韓信《かんしん》と曹参《そうしん》はそれを天幕のそとまで出迎える。一同兜《かぶと》を脱いでそれを正面に置き、お辞儀をする。

韓信《かんしん》　今日の戦いの目的は、人質の身になっておられる漢王さまのご家族を、お救い申すことにあるのだから、多少の犠牲は避けられないとは思っていたが、樊噲《はんかい》ほどの名将を失ったことはあまりに大きすぎた。しかし、もうそろそろ張良どのからも、よい知らせがあるだろう。あの男のことだから、し損じるはずはなかろう。

夏侯嬰《かこうえい》　確かにあの方が行っていれば安心です。しかし陽動《ようどう》作戦とはいうものの、この戦いは思った以上にうまく敵を引っぱりだせました。項羽に立ちむかった樊噲《はんかい》の軍は不幸にして破れはしましたが、陳平《ちんぺい》はあの桓楚《かんそ》の率いていた軍勢を、ほとんど全滅することができました。

韓信《かんしん》　それも、あの鐘離昧《しょうりまい》が敵の秘密を教えてくれたからだろう。あんなうさんくさい売国奴を利用するというのは、味方の名誉にとってなんとも気持ち悪いことなのだが、漢王さまのお身内を救いだすためには、どうしても敵の内部に明るいやつの情報が必要だったからな。そうしてしまったからには、我々としても今さらやつをとがめる資格はない。ただやつをこれからなるべく用いな

曹参《そうしん》　いようにするばかりだ。
なあに、向こうだって人質を取っておくような卑怯な真似をしたのですから、そのくらいのことは当たり前です。おや、たいまつが見えます。張良からの使いが来たのでしょう。

使者、馬から下りて入ってくる。

韓信《かんしん》　どうだ。うまく行ったか？
使者　どうご報告申し上げればよいか……。
韓信《かんしん》　なに、ではやり損ったのか？
使者　お妃《きさき》さまだけは、なんとかお救い申し上げることができましたが、王子の劉盈《りゅうえい》さまは不幸にもおなくなりになりました。
韓信《かんしん》　なに！　王子が果てられた？
使者　何しろ敵軍の大部分は九里山の戦場に向けられていたので、我らがその留守に奇襲をかけて、正面から攻め込みましたので、敵は彭城《ほうじょう》の守備兵ぜんぶでむかえ討って出てこざるをえなかったようです。しかし、まさかこちらの軍が、二手にわかれて後ろから焼き打ちをくらわすとは思わなかったでのしょう。
夏侯嬰《かこうえい》　やはり新進の若手にはかないませんな。あの古狸の范増《はんぞう》めの鼻の穴を明かしてやったのは痛快の極《きわ》みです。

使者　正面から張良どのが巧みに敵をさそい、そのすきに後ろから周勃《しゅうぼつ》どのの軍が城の中に攻め入りました。しかし呂妃《りょひ》さまと王子さまは、別べつの部屋に幽閉されておいでだったので、まずはじめにお妃《きさき》さまをお救い申し上げました。そのあいだに、おそらく見張りの兵士があの老いぼれにいいつけられていたのでしょう、無残にも王子さまのお首を斬ってそれをお妃《きさき》さまに投げつけたのです。

曹参《そうしん》　戦争だからお互いさまだとはいえ、むごいことをするやつだ。

韓信《かんしん》　項羽は今頃さぞくやしがっているだろうな。しかし俺は、漢王さまに何といってこのことをお知らせしたらよいか。が、とにかく、これでやっと我々も思い切って、腕をふるうことができるようになったといえるな。これからはもう、今までのような姑息《こそく》な戦い方はしないぞ。この勢いで正々堂々と正面から押していって、この月末までにやつらを垓下《がいか》まで追いつめてくれよう。

（幕）

楚

四面楚歌《しめんそか》

垓下《がいか》で、漢の劉邦《りゅうほう》に追い詰められた楚の項羽《こうう》。そのとき四面から項羽《こうう》の耳に、「楚の歌」が聞こえてきた。すでにほとんどの楚軍は劉邦《りゅうほう》に降伏しているのか、と項羽《こうう》は絶望する（実は劉邦《りゅうほう》が漢軍に歌わせたものだった）。周囲が敵ばかりで、孤立していることを意味する。

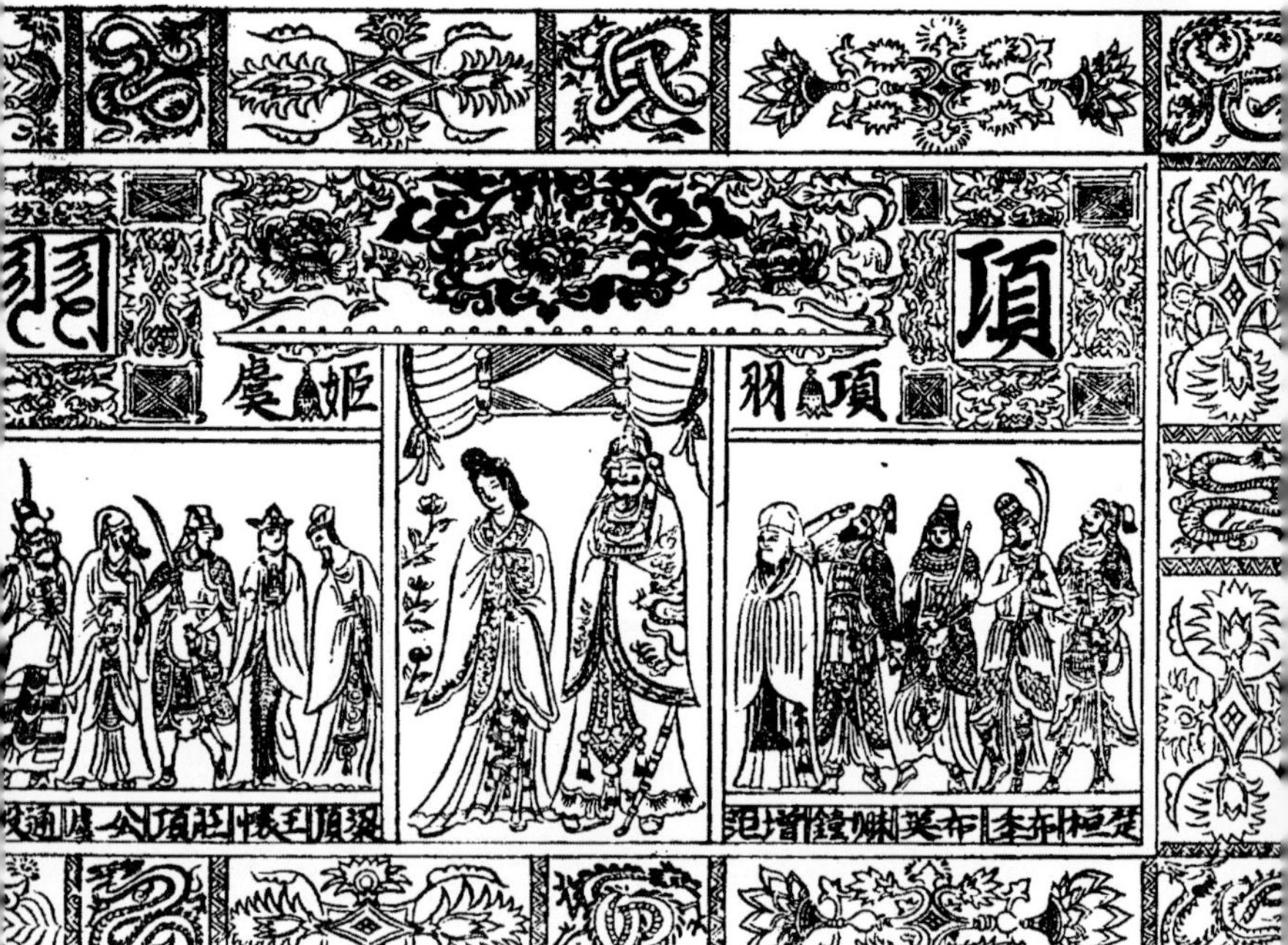

漢

第五幕 項羽と劉邦

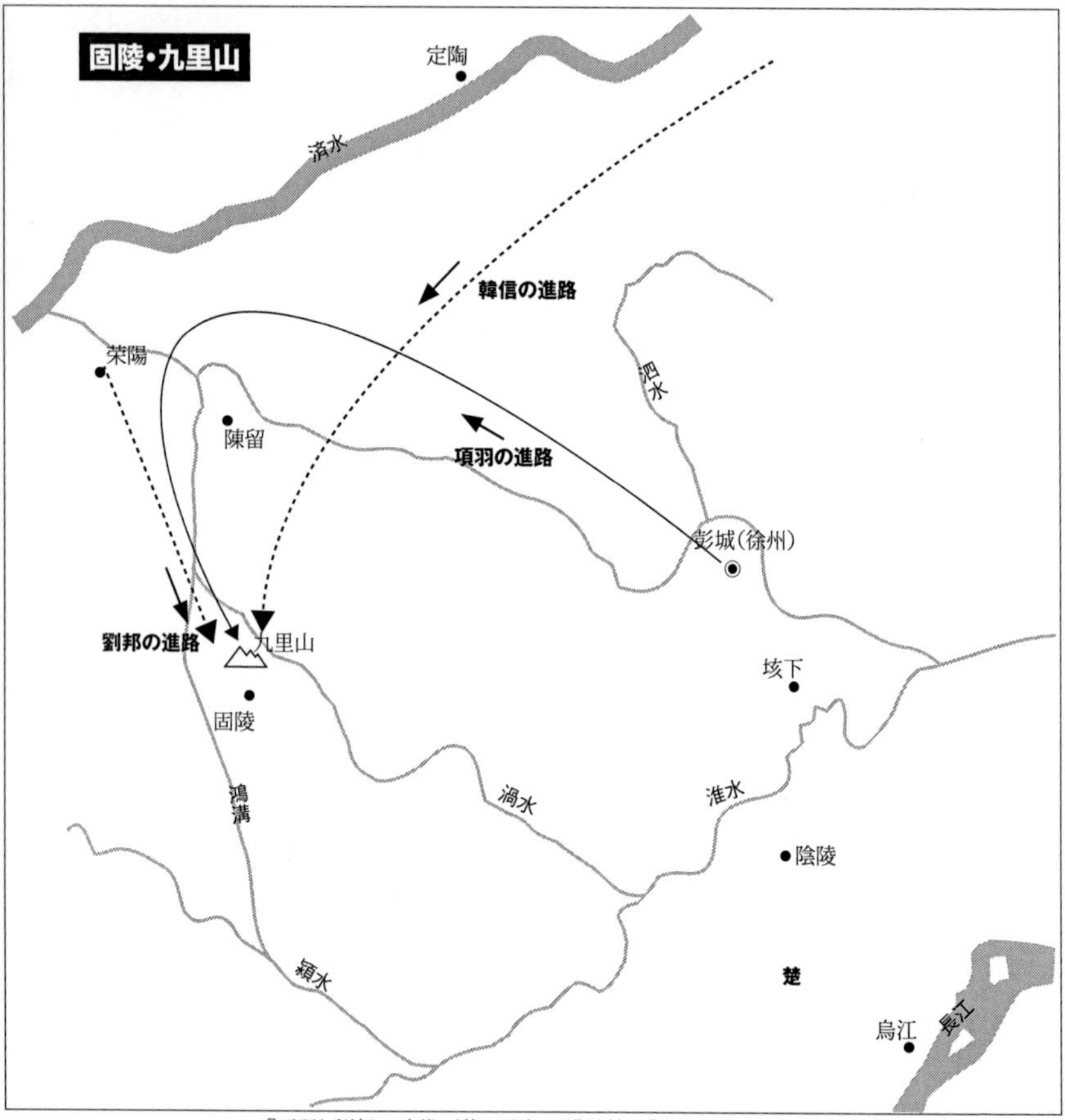

『項羽と劉邦の時代』（藤田勝久／講談社）、『最新国語便覧』（浜島書店）を参考に訳者作成

第1場　固陵《こりょう》、韓信《かんしん》の館

立派な調度品《ちょうどひん》が置かれた応接間。部屋の一方に韓信《かんしん》と呂妃《りょひ》が、同じ長椅子に座って語っている。

韓信《かんしん》　お妃《きさき》さまは、漢王さまがご自分のお身内が不幸にも人質になられたのをお知りになった時、どれだけお嘆きになり、お苦しみになられたかをご存じないのです。漢王さまは、あの山中で二年間もの時間をお過ごしになっているとき、私たちの前では、そのお身内に対する不安をお洩《も》らしになるようなことはございませんでした。しかしあの時ばかりは、さすがの漢王さまも、「ご自分の運命を呪う」とおおせられました。そしてまる二日の間、お食事にまったく手をおつけになれずにおいででした。

呂妃《りょひ》　そう、そうなのだ。あのお方は、ご自分の運命をお呪いになる、私たちの運命ではなく。

韓信《かんしん》　お妃《きさき》さまがたの運命も、もちろんご自分の運命とひとつなのでございます。そうでなければ漢王さまが、あのような悲しく、つらいため息をお洩らしになることはなかったのです。漢王さまにとっては……。

呂妃《りょひ》　天下万人の運命は、ご自分の運命と一つだというのだろう？　しかしそこには妻子の運命は、入っていないのだよ。その証拠に、あのお方はもし兵をお挙《あ》げになれば、人質になっている私たち親子が首を斬られることも、お知りになっていたはず。それでもやはり、お挙《あ》げになったではないか。

韓信《かんしん》　それはあまりに漢王さまの御心《みこころ》にたいして、お妃《きさき》さまのご理解が無さすぎるというものです。漢王さまは中原《ちゅうげん》に打って出られるやいなや……それは漢王さま、いや、偉大な野望をいだくあらゆる男子にとって、どうやっても自分の力では拒むことのできない、唯一つの道であったのでございます。

呂妃《りょひ》　それなら、その男は妻子を持ってはならないのだ。少なくともその運命が定《さだ》まるまでは。

韓信《かんしん》　はい、それもごもっともなことです。しかし生きることが命賭けなことであることは、男女に区別はございません。そして女の運命にとって、これほど名誉で偉大なつとめが他にありましょうか？　英雄の使命のために、その身命《しんみょう》をなげうって内から助けるというほど、世の中に血を流さない仕事のなかで、貴《とう》といつとめはほかにございません。しかもお妃《きさき》さまは、たいていの男ですら流しえないような、貴《とう》く美しい血をお流しになったではありませんか。

呂妃《りょひ》　(泣いて) ああ、私は助けた。私のすべての力と生命《いのち》をあのお方のために、捧げてお尽くし申した。私はそうせずにはいられなかったからだ。しかし、あのお方は……劉盈《りゅうえい》を殺しておしまいになった！

韓信《かんしん》　そのことを漢王さまも、お妃《きさき》さまとおなじように、悲しみ苦しんでいらっしゃるのです。漢王さまも海よりも深くお妃《きさき》さまや王子さまを愛していらっしゃりながら、どうしようもなく、ああするより他に道がなかったのです。ですから漢王さまは、なによりも先にお妃《きさき》さまや王子さまをあの幽閉からお救いだし申すことにおかかりになったのです。

呂妃《りょひ》　そして、あの子の小さな生首が姿にたたきつけられた時、それを聞いてあの方はこうおっしゃったというではないか。「このくらいの犠牲は、味方ぜんたいの運命のためにはかえってあったほうがいいのだろう」と。もし、あの子の代わりに私の首が斬られていたとしても、あの方はやはり同じような冷淡さをもって、同じことをおっしゃったはずだ。私が助かったのは、誰のおかげでもない、単に幸運だったに過ぎない。

韓信《かんしん》　偉大なことを成しとげる男は、女性からは往々にして「冷淡だ」という、やるせない誤解を受けてしまいます。漢王さまは、そうおっしゃることで、悲しみの底から、ご自分を奮い立たさなければならなかったのです。あのとき、漢王さまは涙を目にお溜めになりながら、ご自身の太ももに剣をお突きさしになりました。

呂妃《りょひ》　もういいよ。お前も男だ。私にはあの方のお心は分かっている。私はもう何もいうまい。

韓信《かんしん》　お妃《きさき》さまの御心《みこころ》に、天下の者が皆ご同情申しております。お苦しみになられているのは、まったく当然のことであります。しかしお妃《きさき》さまの御心《おこころ》は今、あまりに乱されてらっしゃるのです。私は、切《せつ》にその御心《みこころ》が今いちど安らかになり、そして一日も早く漢王さまにお目通りされる日を楽しみにしております。漢王さまも、そのことを心より待ち望んでいらっしゃるのです。もう天下の形勢は定まりました。これからは、敵が一日一日と破滅に近づいていくのに対して、味方はまさに昇る太陽のように、栄光と歓喜に向かって一歩一歩進んで行くばかりでございます。漢王さまが、いよいよ天下の主とならせられる祝福の日も、もはや遠からぬことと信じます。

呂妃《りょひ》　(間をおいて)ああ、ともかくいこう。そして八年ぶりにあの方にお目にかかろう。いずれ天下があの方のものになり、やがてあの方がおかくれになって、私があの方に代わって天下の舵取りをする時、自分のやりたいようにすればいいのだ。（呂妃《りょひ》去る）

韓信《かんしん》、戸口のところまで呂妃《りょひ》を送ってから戻る。考え込む。殷桃娘《いんとうにゃん》、入ってくる。後ろから四つになる女の子（項梁《こうりょう》と殷桃娘《いんとうにゃん》の間に出来た子）がついてくる。

韓信《かんしん》　（思わず顔をしかめる。すぐに無理矢理やさしい顔をつくり、子供の頭に手をおく）どうした？

殷桃娘《いんとうにゃん》　（うな垂れる。やがて頭を上げ）あなた、今ここでお妃《きさき》さまと何をお話しになっていたの？

韓信《かんしん》　恐ろしい女だ。俺はいつかあの女に祟《たた》られる時が来るような気がする。天下が漢王さまのものになるにしたがって、俺の勢力もおおきくなるだろう。しかし、もし漢王さまが俺より先に世を去られたら、俺はあの女のせいで危うくなる気がする。そうならぬよう、こちらも用心をするが。

殷桃娘《いんとうにゃん》　何かまた不満をおっしゃったのですか？　誰でも自分の境遇《きょうぐう》が安定してくると、それまで苦労してきた間に蓄えられた不満が、にわかに殻をやぶって出てくるものですわ。

韓信《かんしん》　とにかく明日はいよいよ総攻撃だ。あの厄介な范増《はんぞう》も、とうとう項羽との縁が切れて、背中にできものが出来て死んでしまったと聞く。こうなれば、いよいよやつらの行く末も決まったというものだ。今から思えば、気の毒な話だ。

殷桃娘《いんとうにゃん》　本当にね。ではあなたも今夜はたっぷりお休みになったほうがいいでしょう。

韓信《かんしん》　そうしよう。

殷桃娘《いんとうにゃん》　私もすぐ行きますすわ。お休みあそばせ。

韓信《かんしん》去る。沈黙。風の音、殷桃娘《いんとうにゃん》、子供を膝の上にのせて口づけをし、その顔を見つめて涙ぐむ。突然何か金属器が床に落ちた音が響く。かんざしが落ちた音だった。

殷桃娘《いんとうにゃん》　（ドキッとして）誰？

虞姫《ぐき》、すだれをあげてうなだれて入ってくる。髪の毛はほつれ、やつれ果てたその姿から、苦労してここまで来たことがわかる。顔色は青く、しかしその眼には燃えるような輝きがある。

殷桃娘《いんとうにゃん》　（驚き）まあ！　あなたはお妃《きさき》さま……。

虞姫《ぐき》　殷桃娘《いんとうにゃん》……。

二人はしばらく顔を見合わせている。

殷桃娘《いんとうにゃん》　お変わりになりましたこと。

虞姫《ぐき》　お前こそ。

殷桃娘《いんとうにゃん》　それにしても、どうしてお妃《きさき》さまはこんな時間にここへ？

虞姫《ぐき》　お前が韓信《かんしん》の夫人になったということは聞いていたのですよ。それで私は、お前の女官のふりをして、前祝いの酒盛で酔いつぶれた番兵らを、ごまかして入って来たのです。

殷桃娘《いんとうにゃん》　(虞姫《ぐき》の来た理由を察して) 随分、ご苦労なさったことと……。お察し申します。

虞姫《ぐき》　私は、お前から同情されるような者になろうとは、夢にも思いませんでしたよ……。しかし、私はもう、どうにもお前の同情にすがるより仕方がなくなって……。私らをだまして、お前が私らの陣に忍んでいた時、私がどんなにお前を可愛がっていたか、覚えてくれていますか？

殷桃娘《いんとうにゃん》　(間をおいて) 覚えておりますとも。私が襲われる恐ろしい夢を見ると、いつもその中で、ただお妃《きさき》さまのお姿だけが、ほんのりとお美しく浮き上がってくるのです。私は今でも、お妃《きさき》さまを懐かしく思いだしておりますわ。

虞姫《ぐき》　お前がもし私を愛していてくれるなら、私の運命に同情してくれるなら……。ああ、本当は、私はこんなことを人にいうくらいなら、舌をかみ切って死んでしまいたい。(唇をかむ)

殷桃娘《いんとうにゃん》　……お妃《きさき》さまのいらしたお気持ちはわかりましたわ。もうそれをおっしゃるために、お苦しみになるにはおよびません。

虞姫《ぐき》　ああ、殷桃娘《いんとうにゃん》、私は大王さまの妃《きさき》なのです。その天下の覇王たる項羽さまの妃《きさき》である私が、こんな風に頭を下げてお前に泣きつかねばならないとは。あの方がもしそれをお知りになったら、私の身体は八つ裂きの刑に処せられるどころではないでしょう。それをわかっておくれ。ここにこうやって私が忍んできたのは、まったく私ひとりの愚《おろ》かな心配からなのです。あのお方は夢にもご存じないのだということを。ああ私はまったく愚《おろ》かです。私はもう、二度とあそこに帰ることはできません。私はここに来たことを、どんなに後悔していることか……。でも、私はあのお方の名誉を傷つけたりしない。あの方のお顔に、泥を塗《ぬ》るようなことはしません。すべての恥は私にあるのです。そう、すべて私から出たことです。そして私はもうその恥のために死んだも同じです。(感情的になって身体をゆすって泣く)

殷桃娘《いんとうにゃん》 ああ明日は総攻撃。私はどうしたらいいだろう……？

虞姫《ぐき》 (殷桃娘《いんとうにゃん》にしがみついて) お前、なんとかしてくれないか？ 私たちにもう三日の猶予をあたえるように、お前の夫に頼んでくれることはできないか？ いや、それはあまりに卑怯だ。私はこうしてお前に頭を下げて (泣く) ……。

このときさっと後ろの幕が開いて、呂妃《りょひ》があらわれる。殷桃娘《いんとうにゃん》はそれをみて、息をのんで失神しそうになり、思わず「アァッ！」と声をだす。

呂妃《りょひ》 (すごみのある冷笑をたたえて) 残念でしたね、韓信《かんしん》ではなく私でした。あまり騒ぎが大きいので何事かと思ってきてみたら、驚きましたわ。あなたはなんと、大楚国王妃の虞美人《ぐびじん》さま。

虞姫《ぐき》 ……。(恐れてものをいえず)

呂妃《りょひ》 (わざと頭の上から足のつま先まで、虞姫《ぐき》をなめるように見まわして) まあ何という悲劇的など様子なのでしょう！ それに何という痛々しいお美しさでしょう。まさに、夜の嵐にあった桃の花のよう、とでもいうところでしょうね。(興奮したように笑う) 本当に痛々しく見えてよ！ あなたのような絶世の美女が！　あなたのような最高の身分の人が！　愛する夫のために、その夫が殺し損ねた者のところに忍んできて泣きついたり、飛びかかりそうなくらい怒り狂うというのはね、本当に痛ましいことですよ！　誠実というものがどんな愚か者でも涙ぐませる力を持っているのに、それが絶世の美女が憂《うれ》いをおびた姿でやってくるのですもの。どんな利口な男でも心を動かされずにはいられないでしょうよ！

虞姫《ぐき》は抵抗しようとして唇をかみしめつつ震えている。

殷桃娘《いんとうにゃん》　(呂妃《りょひ》に)お妃《きさき》さま、それはあまりなお言葉ではございませんか……？

呂妃《りょひ》　何？　あまりなお言葉ですって！　(笑う)そうだね。お前さんは芝居上手な泥棒猫が、愛想ふりまきながらお前の宝物を盗んでしまっても、全然気がつかないくらいのお人好しだからね。お前さんはこの中華一の美女が、そのご自慢のお色気で、お前のご亭主の力を奪いにきたのを助けようというのだね。天下広しといえども、お前さんのように気の利いた女房は二人とはいないだろうよ。(笑う)

殷桃娘《いんとうにゃん》　(興奮して)まあ、お妃《きさき》さま。

呂妃《りょひ》　「お妃《きさき》さま」はここに二人のいますが、お前さんはどちらのお妃《きさき》を呼んでいるのだい？　さっきから聞いていると、お前さんはいまだにこいつのことを「お妃《きさき》さま」「お妃《きさき》さま」と呼んでいるし、こいつもお前のことを「お前」「お前」と横柄《おうへい》にも王妃面《づら》して呼んでいるね。かわった泣きつきかたもあったもんだ。そりゃ天下の国王妃で押しとおしてきたやつが、その運命が尽きたからといって、にわかに今までの家来たちに頭を下げてへりくだった話し方をするなんて、意地でもやらないでしょうよ。自分のいっていることがこっけいで、虫のいいことであればあるほど、恥ずかしいから威張りたくもなるでしょうよ。しかし頼まれるこっちまでそれに合わせる必要なんてないし、あまり頭がいいとも思えないね。不自然なしゃべり方が見るにたえないのと同じで、ぎこちないへりくだりも見ちゃいられないものだ。そんな見苦しい威厳なんかでも大事にしていたいなら、項羽の妃《きさき》ともあろう者が、なぜこの殷桃娘《いんとうにゃん》を自分の館へ呼びつけないんだ？（間）してみると、お前さんはやはりじつは、この昔なじみの殷桃娘《いんとうにゃん》よりも韓信《かんしん》のほうに用があったということだね。なにしろ、お前さんは自分の色気で落とせない男は、この天下に一人もいないと思っているようだからね。

虞姫《ぐき》　（狂乱して）ああ、私はもう耐えられない！！　お前は何だ……お前は……ああ恩知らずの人でなしめ。鬼婆め！　（言葉を続けずに、ただ狂ったように身体をゆさぶって泣く）

呂妃《りょひ》　何ですって？　私が恩知らずの人でなしで、鬼婆だって！　ほう、それならお前さんは、情けぶかいやさしい王妃さまだとでもいうのかい。（笑って）ありえない恩を着せるにもほどがある。たしかにこのような正義の天運が来たんだから、私らをはじめに殺してしまわなかったのはお前たちの大失敗さ。しかしあのとき私たちを殺さなかったのは、お前の情けでも何でもない。お前たちが、私の夫をおそれていたからだ。それでなくとも悪い天下の評判を、それ以上悪くするのをおそれていたからだ。そんなことを人が知らないと思っているお前は、さすが世間知らずのお妃《きさき》さまだ。

殷桃娘《いんとうにゃん》　（呂妃《りょひ》に）けれど私たちだって、もしこの方のような破目《はめ》に陥れば、それがとうてい無理な望みだと思っていても、やはりこうやって私のような者に泣きつきに来るしかありませんわ。そのような破目に陥ったことは、それより前にこの方が最高の地位になれたのと同じように、ご自分の意志ではなかったのですわ。私らのような何の力もない女の身にとって、すべてただ運命の意のままに従うよりほかに何ができましょう。私は長い間さすらったおかげで、運命というものがあること、それが無常だということを知りました。そして私たちは、ただその波に空しくもてあそばれている、ちっぽけな浮き草に過ぎないと思ったのです。ですから、私は、自分の今の境遇がいいからといって、人を責めることが恐ろしいことだと思ってしまうのですわ。私たちが自分のものでもない力を借りて威張りあったり、いじめあったりするということは、雲の上で相撲を取るよりも危なっかしいことではございませんか。私はそれを思うと、他人の運命に同情せずにはいられないのです。そのようにいられたら、私らの心は平和なのです。私はこの方をあざむきました。私の今の幸福は、いまわしい復讐《ふくしゅう》によってあがなわれたのです。ですから私はその幸福が、また復讐《ふくしゅう》によってくつがえされることがおそろしいのです。

呂妃《りょひ》　ふむ。それは誰だって、憎いやつの舌をかみ切って仕返しできたあとなら、なんでもさとったような理屈でもいえる気持ちになるでしょうよ。だけどお前は、私のようにこの女からしつこくひどい目にあわされはしなかったのだ。それだけじゃない。父親の首を斬られても、子供の首を斬られはしなかった！　自分の夫が、死ぬよりもひどい赤恥《あかっぱじ》をかかされはしなかった！　その上な

まあ何をなさるのです、お妃さま

お、この女は私を鬼婆だといいおった！　こいつめ……！（扇子で虞姫《ぐき》の頬をピシャリと打つ）

虞姫《ぐき》、短剣を抜いて呂妃《りょひ》に斬りかかる。呂妃《りょひ》は身をかわして扇子で剣を受け止め、すばやくムチを手にして虞姫《ぐき》に打ちかかる。殷桃娘《いんとうにゃん》、驚いて「まあ何をなさるのです、お妃《きさき》さま」といって間にはいろうとするが、それよりも早く呂妃《りょひ》は「おのれ！」と叫びながら虞姫《ぐき》をその場に突きたおし、ムチでビシビシ虞姫《ぐき》を打ちつける。この時、殷桃娘《いんとうにゃん》の服につかまりながらすべてを見ていた子供が、急におびえて泣き出して母親にかじりつく。

呂妃《りょひ》　（打ちながら）おお、よくもおまえは私の子供を殺したね！　私の夫を苦しめたね！（感きわまって、自分も泣きながら）私らをよくも牢にぶち込んだね！　よくも長い間私らを踏みつけたね！（足蹴《あしげ》にして）ああ、ざまあみろ。ざまあみろ！　ようやくお前らの上に天罰を落としてやった！　くやしいだろう。しかしそれをまねいたのは誰だ。私らだと思うのか！　お前ら自身ではないか！お前らがやってきたあらゆる残虐《ざんぎゃく》で、人を人とも思わない行いが、お前らに返ってきただけではないか。よくも、のこのこときたものだ。（殷桃娘《いんとうにゃん》に）お前、この女を牢にぶち込んでおやり。いや、私が韓信《かんしん》にそういってやる。お前のような意気地のない女には、それはできないだろう。お前はこの女に辱《はずか》しめられたことはないからね。自分の愛する子供の首を斬られたという怨《うら》みが、お前にあるはずない。しかし私にはある！　こいつめ、今度はお前の番だ。お前が飛び込んできた籠《かご》から、お前は一生出られることはできないだろう。ははははは……。

勝ち誇って、狂ったように高笑いしながら退場。虞姫《ぐき》の顔からは血がしたたっている。彼女もまた狂ったように短剣を再び手にし、呂妃に襲いかかろうとして倒れ、自らの喉《のど》を突こうとする。泣きじゃくる。

殷桃娘《いんとうにゃん》 （力任《ちからまか》せにその短剣をもぎ取り）ああ私はどうしたらいいのだろう。お妃《きさき》……虞美人《ぐびじん》さま！

（幕）

第2場

韓信《かんしん》の館、その奥の一室

虞姫《ぐき》に与えられた部屋。御簾《みす》の向こうに寝台が見える。灯火《あかり》がともっている。虞姫《ぐき》は寝台に腰をおろして両手に顔をうずめ、突っ伏している。殷桃娘《いんとうにゃん》は手燭《てしょく》を持って彼女のそばに立っている。彼女をなぐさめたく思いながら、なにもいい出すことができずに困惑気味な様子。沈黙。

殷桃娘《いんとうにゃん》 （しばらくして）またいやな雨が降ってまいりましたね。

虞姫《ぐき》 （間をおいて独白のように）いっそ天にあるすべての雨が残らず降って、この地上にありとあらゆるものを、私と一緒に押し流してくれればいいものを。（しらじらしいことを言って、虞姫をなぐさめようともしない殷桃娘《いんとうにゃん》にいらついて、邪魔だとばかりに横を向く。虞姫の髪の毛の先が燭台《しょくだい》の炎にさわり、ジリジリと焦げる）

殷桃娘《いんとうにゃん》（驚きあわててそれをとどめ）ああ、虞美人《ぐびじん》さま、何をなさるのです。もったいないではございませんか。そんなお美しいお髪《ぐし》を。

虞姫《ぐき》（笑う）ではこの髪をお前にやりましょうか。（自分の髪を見ていじくりながら）これでも私の遺品だといったら……だけどもう駄目です。これが三年前でしたら……あの華々しい命と、美しい冠との間に挟まれていた頃の髪でしたら、私の髪で作ったかつらだといえば二万両くらいしたかもしれませんが、今ではこんな髪の毛に一文だって出す女はいないでしょう。逆にそれが私の髪の毛だということがわかれば、それまで自慢してつかっていた女でも、きたない物をさわったように投げ捨てて、知らん顔するでしょうよ。

殷桃娘《いんとうにゃん》 そんなにやけをお起こしになっても、何の役にも立ちませんわ。私なども、今は自分の愛する者と連れ添って、裕福に暮らしているところを見れば、確かに幸福でございます。けれども私には、昔の不幸によって呪いをかけられた子が、離れずにいて、私から幸福を皆吸い取ってしまうのでございます。ですが、それでも私はその子をかわいがり、その呪われた子を持っているということの中に、もっと深い幸福を感じるように、自分をしつけてきております。そして実際、私は幸福なのでございます。

虞姫《ぐき》 お前は、低いながらも「釣り合い」というものを持っているよ。だから、お前は幸福なんです。

とうとう俺の中にいる魔物めが

殷桃娘《いんとうにゃん》 しかし私は「釣り合い」がなく、高く上がりすぎた片側しかありませんでしたからね。そして今ではその高みからはね落とされたのです。お前さんと私とは運命がちがうのですよ。

虞姫《ぐき》 しかしどんな場合にも、耐えられるだけ耐え忍んでみなければ、本当の運命はわからないと存じますわ。幸福すぎる人の不幸は、耐える力を失ってしまうことにあると私は思うのです。もし虞美人《ぐびじん》さまが、お待ちになる力さえお持ちなら、そのうちにまた、私たちが泣いて虞美人《ぐびじん》さまにおすがり申し上げる時が来るかもしれません。

殷桃娘《いんとうにゃん》 お前のいう通りだ。一度散って泥まみれになった花も、またもとの枝にかえって咲くということもあるだろう。私は待つことにするよ。

虞姫《ぐき》 (なぐさめる言葉なく) もう夜もふけました。ではお休みあそばせ。

殷桃娘《いんとうにゃん》 (急に殷桃娘《いんとうにゃん》の去ろうとするのを寂しがり) お前は行くのだね。夫との楽しみな寝床へ。ああ、お休み。

殷桃娘《いんとうにゃん》、退場。

虞姫《ぐき》 (独り) 薄情者。私の苦しみを見るのがつらいので、いつも心にもないでまかせばかりいっている。私の欲しいのは、そんな口先の理屈っぽい慰《なぐさ》めじゃない、ただ一言の「はい」という言葉だということを分かっているくせに。ああ、でももう何もわからない。あれが虫のいい頼みごとだったのか、それとも、すること自体、間違いだったのか。そんなことを今更考えてもわからないし、そんなつもりもないけれど。ただわかっているのは、はじめは私に同情していたあの女が、今では他の者と一緒に私を持て余して、内心では私が自害するのを待っているということだ。あの女はもう私に、父親を殺された怨《うら》みを持っていないようだけれど、夫の愛を盗む仇《かたき》だと勝手に思い込んで、私を憎んでいるよ。どうもあの毒蛇めが、そう思うようにあの女を焚《た》きつけたみたいだ。あの女が私の様子をさぐりながらこの部屋に入ってくる時、あの女の目にはいつも「まだ生きているのか。この恥知らずめ」という気持ちがうきあがっている。やつらは不遜《ふそん》にも、私を大王さまと一緒に死なせるのが、いやでしょうがないらしい。ほほほ、それで真綿《まわた》で首をしめるように私に自害を迫るのか。ああ死んでやるとも！　でも私が自害するのは、お前たちに負けたからじゃない。ただ自分で死にたいからだ！　おお、私の項羽さま、大王さま、どうか私をお許しください。私は愚か者です。気が狂っています。でもほかにどうすることもできなかったのです。（泣きながらを帯をといて楽にかけようとする）

風の音。このときミシッという足音が聞こえる。虞姫《ぐき》はくやしげにその音がした方向をにらみ、寝床に入って眠ったふりをする。韓信《かんしん》、そっと幕を開いて入ってくる。顔色は青く、目は血走っている。

韓信《かんしん》（深いため息をついて、御簾《みす》の中にいる虞姫《ぐき》の寝息をうかがう）とうとう俺の中にいる魔物めが、ここまで俺を引きずり込んでしまいやがった。何しに俺はここに来ちまったのか、この早鐘《はやがね》のような鼓動がもう俺の意志ではどうしようもなくなっている。これまで俺は、この悪魔をなんとかおさえつけてきた。が、俺があの男にいいふくめておいたように今夜という今夜、どうしようもなく、俺はもうそれを抑える力を失ってしまった。あいつはまだ来ておらぬとみえるな。早くあいつが来て、この魔物を俺から引っこ抜いてしまえばいいんだがな。（そっと御簾《みす》を開く。虞姫《ぐき》の眠っている姿を見る。韓信《かんしん》は喜びに身を打たれて深く息を吸い、思わずほほ笑む。次に身震いする）まだいるな。なんて美しい寝顔だ。肌だ。（恍惚《こうこつ》としてむさぼるように虞姫の寝姿をながめ、苦しそうに吐息を吐く）この女はもう俺のものだ。しかも俺に、身を任《まか》せる覚悟をもってこの館《やかた》に来たのだ。俺がこの女を思い通りにしたら、俺はその責任をとって、地位と勝利と名誉を手放さなければならないというのか？　馬鹿馬鹿しい。そんなことがあってたまるか。どうして俺の正しい心が、これくらいの過《あやま》ちで否定されなければならないのか。俺はこれまで、真実の太陽の下で高い理想を掲《かか》げ、それを公正に行ってきた。こんな落ちぶれた存在に手をつけたからといって、この韓信《かんしん》の大きな価値が、こんなちっぽけなことで傷つけられることはあるまい。それに今、俺がこの女をどうしようと、項羽にはもはや復しゅうする力はない。この女だって、その深すぎる罪を夫の前で懺悔《ざんげ》して、あの男を怒り狂わせる前に、自分でその生命《いのち》を断ってしまうだろう。結局、俺のこの行いは永久に天下に知られることはなかろう。ただ俺が、その心の秘密を、自分で握りつぶす勇気さえあればよいのだ。（虞姫《ぐき》の上に乗りかかろうとするとき、やや遠くで子供の泣き声が聞こえる。韓信《かんしん》、ハッとする）ガキめが泣いてるな。それがどうした。あれは俺の子じゃない。色気違《いろきちが》いの項梁《こうりょう》めが桃娘《とうにゃん》に産ませた子なのだ。俺だって……俺はやつのような目にあうほど間抜けじゃない。（頭をかきむしって）ええい、なるようになってしまえ！（再び虞姫《ぐき》の上におおいかぶさろうとする時、窓の外に何かが動く音が聞こえる）今度はあいつが来たのか。やはり俺はやってはならないということなのか。（間）よし、俺はやつをこの高窓から突き落としてやる。

明日の晩にしろといったら、俺のすることを見抜くだろうからな。（急いで広間に行く）

この時、すでに覆面《ふくめん》をした李左車《りさしゃ》が窓から入ってきている。

李左車《りさしゃ》　（軽く拱手《こうしゅ》をして）将軍。

韓信《かんしん》　む。（むっつり、しかし気はすでに変わっている）ちょうどよく寝入っているようだ。抜かりなくやれ。……チッ。

李左車《りさしゃ》　口実はよく考えてきております。おそらくうまくいくかと。

韓信《かんしん》　（ため息を吐きながら）あ、ああ。（頭を抱えて出て行く）

李左車《りさしゃ》　（御簾《みす》の前に進み、それを開きながら）お妃《きさき》さま。

虞姫《ぐき》　（身体を起こして）何だ、お前は韓信じゃないのか。

李左車《りさしゃ》　（覆面をはずす）無断でご寝所に踏みこんだ不躾《ぶしつけ》は、いずれ私の正体を明らかにしてからおわび申し上げます。が、今はそんなご無礼にこだわってはいられなかったのです。

虞姫《ぐき》　お前はまた何か私をだましにきたのでしょう？　限りなく残酷な者たちの回し者にちがいない。私はだまされませんよ。さあ、そんなあくどいなぶり方をしないで、早くその剣で私の胸を刺しておくれ。お前にそれを許すから。

李左車《りさしゃ》　お疑いをうけるのは覚悟の上でまいりました。しかしそんなことをおっしゃらずとも、私はお妃《きさき》さまによりよい死に方を授けて差し上げます。そのためにこの犬死《いぬじに》の場から、お救い申そうというのです。

虞姫《ぐき》　お前は一体誰なのです？

李左車《りさしゃ》　私は李左車《りさしゃ》という者です。確かに私は今はまだ漢の臣下ではありますが、ちょうど韓信《かんしん》が長いこと項王に用いられずにいたように、私も出身が匈奴《きょうど》であるという理由で、漢に仕えてからもう七、八年にもなりますが、いまだにつまらない補給係をさせられているのです。韓信《かんしん》が一度私を推薦してくれたこともありますが、よい家来に恵まれている漢王は、私を認めてくれないのです。しかし機会のあるごとに、私は漢王の人となりをよく見ることができました。はじめのうちは、私も天下の民と同じく、項王さまを残虐な暴君のように思い、漢王を仁徳に厚い大人物のように思ったのです。たしかに漢王は、情に深く、徳のある名君のように見えるばかりでなく、賢い男です。しかし深く接すると、外見の温《あたた》かさとはうらはらに、その心はとても冷たく、人の心に疎《うと》い、野心のかたまりに過ぎないことがわかります。あの男は自分を理の通った人間に見せることが極めて上手です。それでいて、いかにも愛情にもろい男のようにふるまっていますが、単にそれは計算し尽くした手段でしかないのです。一言でいえば、人にそう思わせる才能を持っているのです。ただそれだけです。ところが民衆にはそこまで見えませんから、あの人の本当の姿を見抜けずに、うわべの偽善や言葉にまどわされてしまうのです。

虞姫《ぐき》　それはお前のいう通りです。

李左車《りさしゃ》　人の暗い秘密をあばくのはいやなことですが、私が一度あの人について、一軒の山小屋にかくれた時、あの人はそこの娘を乱暴して、大金を渡して口をつぐませたことあります。その晩、私はその娘が漢王の夜とぎに呼ばれたこと、翌朝、眼を泣きはらして私たちを見送りに出てこられなかったこと、そして強欲な亭主がとても満足げな顔をしていたことで、一切を了解したのでした。あの呂妃《りょひ》が人質から無事にもどってきた時も、あの人は妃《きさき》がその身をけがされなかったことを信じられなかったというではありませんか。

虞姫《ぐき》 まあ！　私の大王さまが、あの女をどうにかしたのではないかと疑ったとでもいうのですか？　いやらしい。あの男ではあるまいし。高潔《こうりつ》な帝王の心は、下賤《げせん》な者にはそれほどまでにわからないものなのです。

李左車《りさしゃ》 他人に対する判断は、結局、自分の心の内を映し出しているだけのことです。それにもかかわらず、なにも見ようとしない民衆は、同じ表面といっても何重もあるのだということがわからないのです。一枚めくって二枚目の表面が見えると、それでもう神髄《しんずい》まで見抜けた気になってしまうのです。しかし私はすこしは項王さまの奥底を理解しているつもりです。お世辞のつもりはありませんが、あの方は、よく知ればどこかたまらなく懐かしいところのある方だと思うのです。

虞姫《ぐき》 （つい、ほほ笑む）ああ、私は今までそんな言葉を誰からも聞いたことがありません。それだけにお前の心が恐ろしい。お前は誠実な者であるにしては、口が上手すぎます。

李左車《りさしゃ》 しかし不誠実な者がわざと口下手をよそおうことがあるように、誠実であるためにたくさん話さなければならないこともあります。私に対するそのお疑いは、私を部下にして使ってご覧になればすぐに晴らしていただけることでしょう。私は今すぐ私をお信じくださいとは申しません。それは無理です。しかし、かりに私が本当にそういう卑怯なスパイだったとしても、これからいくらでも私を罰する時間はございますでしょう。が、とにかく今は私にだまされたと思って、私を頼りにここを逃げ出してください。私は自分を本当に理解してくれる人は、項王さまのほかにはないと思っているのです。あの方が私を家来にして用いて下されば、なあに、まだまだ韓信《かんしん》などに負けるものですか。

虞姫《ぐき》　しかしあの方は、ご自分の顔に泥を塗《ぬ》った私に会って下さるはずはありません。

李左車《りさしゃ》　それは浅はかなお考えです。もとよりお妃《きさき》さまがここへおいでになったことは、項王さまにとっては死罪にもまさる重い罪でありましょう。それに今のままでしたら、項王さまはお妃《きさき》さまがここでその身をけがされたというお疑いをお持ちになったままになってしまいます。そうです。お妃《きさき》さまが、もしここでお果てになれば、その疑いを晴らすこともできずにお果てにならなければならないのです。いずれにせよ、お妃《きさき》さまのお命は、もうないものと覚悟なさらなければなりません。しかし項王さまの面前で、すっかりご自身の潔白をお明かしになり、項王さまに対する誠実のあまりにしでかしたご過ちをお詫びになって、その上でご自害なさっても遅くはないでしょう。そうすれば項王さまも、まさかお妃《きさき》さまがそれほどの罪を持ちながら、おめおめと帰ってこられたとはお思いにならないでしょう。お妃《きさき》さま、ご自身が殺された後、縁もゆかりもない冷酷で野蛮な敵兵に、御身《おんみ》をさらされてもよろしいのですか？　それとも愛情の血にたぎった項王さまに、踏みつけられたいとお思いになりますか。いや、この場で自害をなされば、敵は必ずお妃《きさき》さまの御身《おんみ》を、はずかしめながら項王さまに送り届けるでしょう。

虞姫《ぐき》　（狂ったように）ああ、私にはもうどうしていいのかわからない。お前のいいようにしておくれ。私はもう何も恐れない。すべての不幸、すべての間違いが、私のあわれみから出ているのだもの。

私は帰ろう。大王さまのもとに

李左車《りさしゃ》　あの鴻門《こうもん》の会で……、（頭を振り）でなければ、何でこんな恥ずかしいところに来るでしょう。私は馬鹿だった。だけど大王さまは「その妃《きさき》らしい過ちをしたことより、それを悔いることを恥じよ」とおっしゃるだろう。ああ、私は帰ろう。大王さまのもとに。私はもう一目でもあの方のお顔がみたい。私の死体が、あの方に地獄の底へ蹴落《けおと》されてもかまわない。私はあの方の傍《そば》で、私を蹴るあの方のお御足《みあし》に口づけして死にたい。
そして項王さまも、ご自分でお妃《きさき》さまの命のあり方をお決めになれれば、いくらか満足なさるでしょう。さあ、私につかまってください。皆は寝静まっています。私の馬をつないである裏口からそっと抜け出しましょう。気をしっかり持って。行きましょう。（自分に身体をあずける虞姫《ぐき》を抱いて窓から去る）

稲妻が走る。風の音。韓信《かんしん》、引き続いて寝間着の殷桃娘《いんとうにゃん》が出てくる。

韓信《かんしん》　とうとう行ってしまったか。
殷桃娘《いんとうにゃん》　まあこのひどい雨風に。
韓信《かんしん》　お前、喜んでいるようだな。（頭を振って）ああ、俺は何だか自分がいやになってしまった。戦争もいやだ。俺たち、きたないところはまったく項羽に負けておらんな。（独り祈るように）虞美人《ぐびじん》よ。俺を許してくれ。

（幕）

男には愛よりも何よりも強いものがあるのだよ

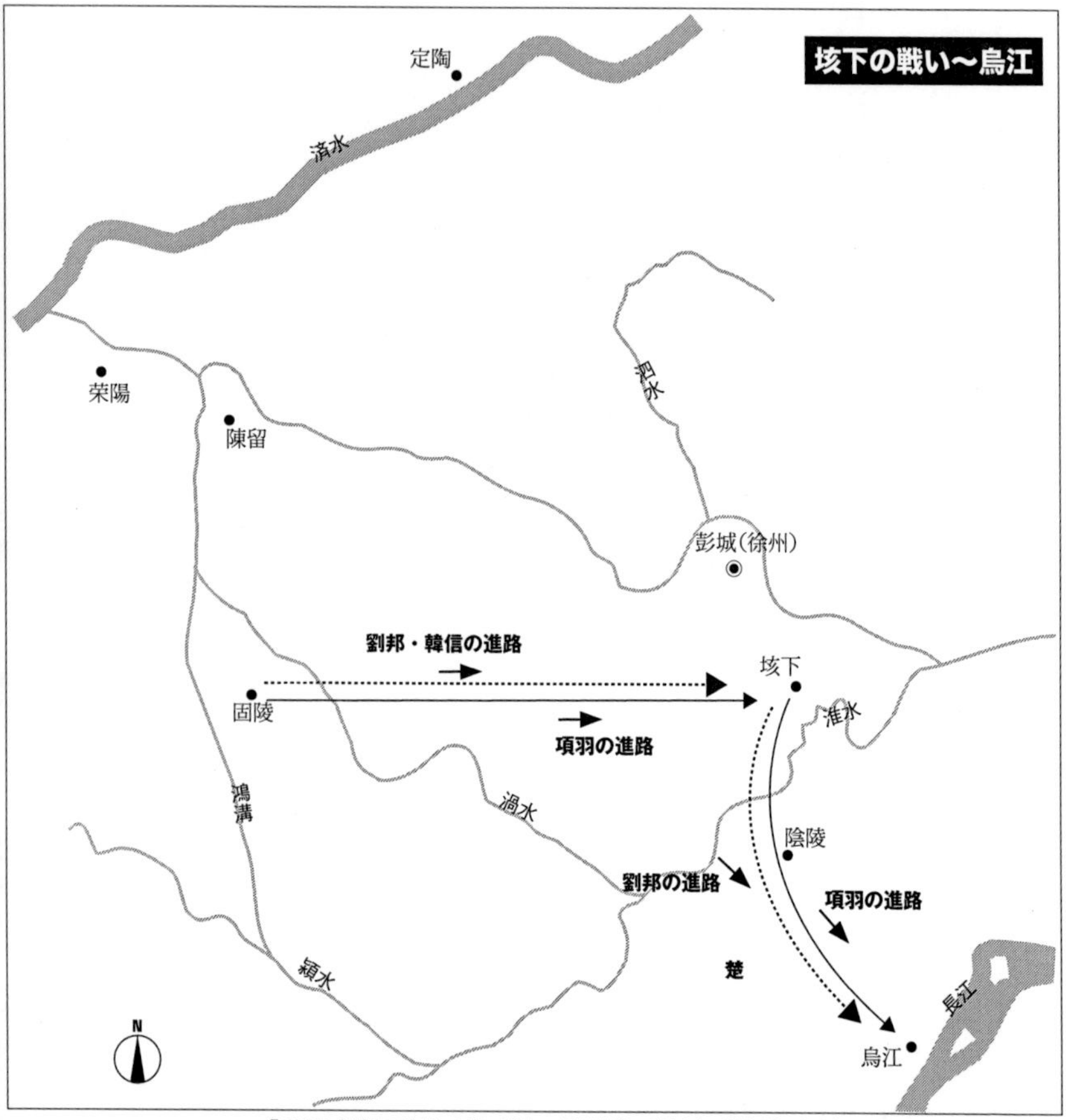

『項羽と劉邦の時代』(藤田勝久／講談社)、『最新国語便覧』(浜島書店)を参考に訳者作成

第3場

垓下《がいか》、項羽の城の中

夜。

広間。右手にある廊下ではかがり火が燃え、番兵がそこに立っている。室内には虞姫と女官が二人で話している。

女官 それでも大王さまは、お心の中でお妃《きさき》さまをどんなにおゆるししたいと思し召されているか、お側《そば》にいても痛いほど伝わってまいります。

虞姫《ぐき》 そんなことが何になりましょう。あのお方が私をゆるしたくお思いになればなるほど、私を追いつめるのです。そしてご自分もお苦しみになるのです。私にはそのお気持ちが痛いほどわかるのです。私はあのことをあのお方に申し上げた時、私の言葉が終わりきらないうちに、この首は飛んでいるものと覚悟していました。そしてまた、それを望んでいたのです。しかしあのお方には、私の罪を許すには死罪ではまだ足りないのです。

女官 それは大王さまのお妃《きさき》さまに対するご愛着が、死よりも強いという証拠でございましょう。私には、ただ今のご不和がひどければひどいほど、後にそれだけ幸せな和解が来るものと感じられるのでございます。

虞姫《ぐき》　和解？　私はそんなものを望みはしないよ。ただこの不幸が、私たちの誇りから、そして勝利を望む心からうまれたものだ、ということをわかって頂けばいいのです。ああ、お前は男には名誉を求める心という、愛よりも何よりも強いものがあることを知らないのです。ちょうど女にとって愛する心がすべてであるように、男というものは、冠のために他が見えなくなってしまうものなのです。

女官　……。

虞姫《ぐき》　昨夜、私はあのお方から遠ざけられた部屋で、ひとり寝ながらこんなことを思いながら一人で泣きました。この世にあるものは何だろうと。それは、「移《うつ》り変わり」です。とらえどころのない変化の流れです。そして私たちは、その流れの中で難破しかけている古くて大きな船なのです。私は助けを求めずにはいられなくなって、その朽《く》ちた親船から飛び降りて、少し前まで私たちに曳《ひ》かれていた他の小舟へと泳いで行ったのです。しかしその小舟は、もう自分たちの前を邪魔する私たちなど助けてくれようはずもない。そしてうすら笑いを浮かべながら、おぼれかけている私の手を船べりから引きはがした。その悔しさといったら！　でも親船に帰ることもできず、私はどうしようもなく漂《ただよ》うだけでした。そのとき一人の水夫が、死にかかっていた私を、親切にも引き上げて親船にとどけてくれました。だがもしかしたら、その水夫は、私とともに親船に乗りこんで、船の栓を抜こうとしているのではないか。私はそんな気がしているのです。

女官　もしやその水夫というのは、あの李左車《りさしゃ》のことでございますか？

虞姫《ぐき》　そうです。私はあの男が気味が悪い。多くのよい将兵を失って、寂しくなられた大王さまは、あ

女官　のよく動く舌先《したさき》にのせられて、すっかりあの男を信じてらっしゃるけれど。……でも私は、あのお方に、口をきいていただくことさえできないのだもの、ご注意申し上げることなどおよびもつかないのです。それにつけてもこんな時にあの范増《はんぞう》がいてくれたら。本当にあの人がご存命でしたら……。それでもまだ、味方にまったく望みがなくなったでもございませんわ。

この時、一人の兵士があわただしく登場。

虞姫《ぐき》　ああ何にもいっておくれでないよ。お前のいうことなどは聞かずともわかっています。あのお方はお果てになったのでしょう？

兵士　いいえ、そうではありません。大王は傷をおうけになりましたが、まったくお元気です。

虞姫《ぐき》　（すこし安堵の吐息をつきながら）ああ、でもお前は「しかし」というのでしょう？　その「しかし」を聞きたくない。

兵士　（女官に）味方は手ひどくやられました。大敗です。将軍の英布《えいふ》は目を射抜かれてしまい、三万もの兵も、今やわずか七、八千くらいになってしまいました。

女官　まあ、どうしてそんなことが？

兵士　李左車《りさしゃ》が裏切ったのです。あんなとんでもないやつは、この世に二匹といません。やつの忠義は、口先だけのものだったのです。やつはいままでこの城を守って、持久《じきゅう》の策を取ることをとなえていました。でもそれは、まだ敵の用意が不十分だったからなのです。しかし、敵が遠征のつかれから回復し、戦いの準備もすっかりできあがったことを見届けて、急に味方に討ってでることを促したのです。そうとも知らず、味方はまんまと敵の術中にはめられてしまったのです。（歯がみしてくやしがる）

女官　そういえば……、今日に限って、あの男が大王さまにご出陣をおすすめしておりましたわ。

虞姫《ぐき》　私の予感はあたっていたのですね。それでその李左車《りさしゃ》は?

兵士　その合戦の騒ぎのあいだに姿をくらましてしまいました。（独りつぶやく）ああ、いよいよこれで味方の運も尽きたか。（うなだれて退場する）

虞姫《ぐき》　鎧《よろい》を持ってきておくれ。

女官　まあ！　鎧《よろい》をとおっしゃるのでございますか。

虞姫、うなずく。女官やむなく隣室から鎧《よろい》を持ってくる。虞姫《ぐき》はそれを身につける。

女官　（手伝いながら）私は、どんなことがありましても、決してお妃《きさき》さまのおそばを離れません。

虞姫《ぐき》　馬鹿な！　お前は私が鎧《よろい》を身につける時までは、私にしっかり尽くしなさい。しかし「私が鎧《よろい》を身につける時がきたら、その時は私についてきてはいけない」といったいいつけを忘れましたか！

女官　ああそんな、なんとむごいことを。

虞姫《ぐき》　私の待ちのぞんでいた時が来たのです。お前はまだ若い。この先、お前は幸せになれるし、またならなければいけません。私はお前がこれまで尽くしてくれたことに、心から礼をいいます。長いこと私のかたわらにいたお前は、世間の者がうらやんでいる幸福というものが、どれだけくだらないものか見てきたでしょう。しかし幸福というものはたしかにあるものなのです。幸せにおなり。これが私のお前に送る最後のいいつけです。そして時々、私たちのことも思い出して、お前の人生の糧《かて》として活《い》かしていきなさい。

女官　(泣きながら) お妃《きさき》さまは大樹の幸福ばかりをお知りになっていて、草花に生まれた者の幸福がどんなものかご存じないのです。私を幸福にしたいとお思し召すなら、どうか生きていてくださいまし。

虞姫《ぐき》　たとえ大王さまがおかくれになろうと、無理に生き残ろうと思えば、それもできないことはない。おそらく敵は私を殺しはしないでしょう。そして皆、うわべでは体のいいことをいいながら、腹の中では私を自分のものにしようと奪いあうでしょうね。私はまだ二十七だ。この容姿も衰えてはいません。しかし牡丹の花のいのちが短いように、私も二十七年の間に女の一生を咲きつくしたのです。私を踏みにじりたい者は踏みにじるがいいでしょう。しかし生きている私を踏みにじることはできないのです。私は大王さまという大樹の高い枝でのみ咲くよう生まれついたのです。その大木を切りたおす者たちが、土足で私を踏みにじる時、私はすでに大王さまのために死んでいるはずだから。最後の望みであったあのお方のお顔を、私はまた見ることができました。そして私には幸いに子もいません。この上、なお生きながらえて、あのお方の邪魔になるより、苦痛になるより、恥さらしになるより、早く死んでしまいたい。

番兵、表から入ってくる

番兵　大王さまがお戻りになりました。兵がふたり、左右からお身体をささえております。

虞姫《ぐき》　あのお方がささえられてですって？（顔色を変えて）ああ、私はどうしたらいいでしょう？　私はここにいよう。そして一枚の布でも、あのお方の傷にあててから死にたい。（女官に）お前はさがっていておくれ。

女官、すすり泣きながら退場。項羽、全身に血をにじませて、二人の兵士に両脇をささえられながら入場し、椅子に倒れかけさせられる。

虞姫《ぐき》　ああ……。（項羽の傍《かたわ》らにおずおずとちかより、泣き声になって）あなた。

兵士一　並の者ならいっぺんで参ってしまうような深手を、いくつも負われています。あの名馬の烏騅《うすい》も、脚を三か所やられてしまいました。しかし、そんなことがあればあるほど大王は、人間業とも思えないほどのお力をお示しになりました。

兵士二　まるで何万もの羊の群れが、一頭の獅子に蹴散《けち》らされるように、大王がたった一人で突入なさると、やつらは遠くからそれを見ただけで蜘蛛《くも》の子を散らすように逃げてしまいます。そのくせ、逃げていっては遠くからワーワーこしゃくなことを叫ぶのです。しまいには、あの鐘離味《しょうりまい》めの放った矢が烏騅《うすい》の前足を射抜いたので、大王は馬もろともにお転びになり、頭をひどくお打ちになっ

虞姫《ぐき》　てしまったのです。でも大王はすぐ跳ね起きて、鐘離昧《しょうりまい》のほうをにらみつけられました。すると
あの意気地なしの裏切りものめ、それだけで馬から転がり落ちて、そのまま押し寄せていた自分
の兵士どもの足の下に、踏みつぶされてしまいました。
私がお世話する。お前たちはさがってよい。

兵士、退場。虞姫、項羽の腕をまくって傷口を洗い、包帯する。

項羽《こうう》　（我に返りぼう然と前を見ながら）こしゃくな……。信じられぬことだ。とてもあり得ぬことだ。天は
気が狂ったのか？　でなければ俺はまた夢を見ているのか？

虞姫《ぐき》　ええ、あなたは夢を見ていらっしゃるのですわ。

項羽、はじめて虞姫《ぐき》を見る。虞姫《ぐき》、哀願するようなまなざしで項羽と見つめあう。項羽、突然荒々しく彼
女が手当している腕を振りほどく。

虞姫《ぐき》　ああ、あなた……（身を項羽の膝に投げ出して泣き伏す）

項羽《こうう》　（それを汚いもののように払いのけて、無理に立ち上がろうとするがふらつき、また椅子に倒れこむ。苦しげに声を
荒げる）誰かおらぬのか？

さきほどの女官が出てくる。

項羽《こうう》 (その女官に) 包帯を巻いてくれ。

虞姫《ぐき》、泣きくずれる。女官はどうしようもなくおろおろしている。

虞姫《ぐき》 (叱りつけるように) 巻けといっている!

女官 (はらはらして) でも、お妃《きさき》さまが……。

項羽《こうう》 妃《きさき》がどうしたというのだ? ふん、汚らしい墓地からよみがえってきたというのか。俺には妃《きさき》はいないはずだ。

女官 (思わず手を合わせて) おお、神さま……。

項羽《こうう》 女は男の傷を癒やすためにいる。そのほうが女なら、早く巻け。だが俺の身体を売女《ばいた》の手にふれさせてはならぬぞ!

女官 ……それは……それはあまりなお言葉です。いくら大王さまのおおせでも、私にはできません。

虞姫《ぐき》 (泣きつつ) 私はもうお身体に触れてしまいました。それが悪うございましたら、早く私をお手打ちになさってください。

項羽《こうう》 (横を向いて) きさまがそんなに死に飢えているのをみてしまうと、きさまに対する俺の疑いは、さらに深まっていくばかりだ。

虞姫《ぐき》　私は、あなたのお手にかかって、もう一度死なせていただくために、墓場からよみがえってきた亡霊です。そして私の血が黒い罪の血なのか、潔白な赤い血なのかをご覧にいれたいのです。さあ。（剣をさしのべる）

項羽《こうう》　ふん、おそらく俺は赤い血を見るだろう。あのいまいましい漢の赤色の血だ。（独白）こうしてこの白い細首を見ると、昔、俺が剣の背中でたたいておどしてやった頃のことが思い浮ぶわい。

女官　神さま、どうぞお二人の仲をお戻しくださいませ！　（こういっていきなり懐剣を自分の胸に突き立ててうつむきに倒れる）

虞姫《ぐき》　（女官に抱きつく）ああ、お前は……私も死にたい。あなた、私はどうしたらいいか早く命じてください。

項羽《こうう》　俺は亡霊のことなど知らぬ。

虞姫《ぐき》　それはあまりでございます。あなたは私を殺すよりももっとひどく罰する為に、生殺しのままになさっても、まだご満足いただけないのですか。あなたのなさり方はあまりに疑酷です。残酷過ぎます。

項羽《こうう》　俺はきさまに「生きていろ」といったことなどない。きさまから死ぬための道具を取りあげた覚えもない。

女官　ああ、あなたが亡びるのは当たり前です。天よ。この頑固な鬼をさっさとお亡ぼしになってください。（息絶える）

項羽《こうう》　（怒って）何？　もう一度いってみろ。「俺を亡ぼしてくれ」だと。ははは。単純な地獄のメス犬め。

虞姫《ぐき》　俺がきさまらの罪をゆるさなかったことでもあるか。いや、俺はゆるし過ぎた。信じ過ぎたのだ。ところがやつらときたら、その恩にたいして、俺をだまし討ちすることで報いるばかりじゃないか。ちょうど俺が、ある女の頭に王妃の冠をのせてやると、その女はその代わりに……。（といいかけたとき、どこからともなく悲しげな音楽が聞こえてくる）ああ、俺はもう口をきくのもいやになった。

（傍白）ああ、この方の額にも苦しみの脂汗《あぶらあせ》がにじみ出ている。（泣く）

沈黙。音楽の調べが次第にはっきり聞こえてくる。

項羽《こうう》　何だ？　あの歌は何だ？

虞姫《ぐき》　あれは楚《そ》の歌ですわ。遠いふるさとの歌ですわ。

項羽《こうう》　どうして今こんなところで、あんな歌が聞こえるのだ？　誰が歌っているのだ？

虞姫《ぐき》　（窓際に行き外を見る）四方すべて寝静まったようにひっそりとしています。聖女山のほうから響いてくるのです。

項羽《こうう》　あの歌をやめさせろ。あの哀れな歌を！

虞姫《ぐき》　（出口のところまで行き、あたりを見回す）誰もいませんわ！

項羽《こうう》　誰もいないだと！　番兵はどうした？

虞姫《ぐき》　（廊下のほうを見て）番兵もおりません……。

項羽《こうう》　皆逃げてしまったのか……。

あの湿っぽい歌を消してやりますわ

虞姫《ぐき》。項羽のそばに戻ってきてその手を取る。二人、自然にさびしげにお互いを見交わす。間。

項羽《こうう》　お前、鎧《よろい》を着ているな。

虞姫《ぐき》　ええ、どこまでもあなたのお供をしていたいために。(項羽の手をまじまじと眺め) あなた、ずいぶんお怪我をなさいましたのね。

項羽《こうう》　ああ、傷だらけだ。

虞姫《ぐき》　いつも私が包帯を巻いてさし上げましたわね。ここも、ここも。私はそれを一つひとつ覚えていますわ。どのお傷はいつ、どこの戦いでお受けになったお怪我か。

項羽《こうう》　古い傷あとには美しい思い出が伴うものだな。

虞姫《ぐき》　一番古いのは、ちょうど十年になります。

項羽《こうう》　ああ十年。十年は一夜だ。しかし夢は煙ではない。俺は絶えず戦ってうち勝ってきたのだ。(悲しげな曲はいっそうはっきりと聞こえてくる) ああ、しかし、あの耳障りな歌をきくと……。酒をくれ。

虞姫《ぐき》　(傍白) まあ、珍しいこと。(項羽に酒を注ぐ)

項羽《こうう》　お前も飲め、俺たちは二人きりだ。

虞姫《ぐき》　(酒を飲みながら、ひそかに泣く)

項羽《こうう》　泣いているのか?

虞姫《ぐき》　あなたがまた「俺たち」とおっしゃって下さったのが、あまりに嬉しかったからでございます。私の喜びであの湿っぽい歌を消してやりますわ (自分の涙を隠すために舞いはじめる)

項羽、酒を飲みながら、それを見て涙ぐむ。涙をまぎらわそうとして、また飲む。

項羽《こうう》　やめろやめろ、何という情けない舞なのだ。そんな葬式のような舞を見ていると、気分が変わるどころか、かえって気が滅入るばかりだ。お前、絶望しているな？

虞姫《ぐき》　私が何に絶望しているのです？

項羽《こうう》　知れたこと、俺たちの運命にだ。

虞姫《ぐき》　私の望みは、ただあなただけなのです。あなたが絶望なさらないのに、どうして私が絶望するなんてことがありましょう。

項羽《こうう》　（低く）ところが……俺ははじめて絶望というものを知った。

虞姫《ぐき》　え？　今、何とおっしゃったのです？

項羽《こうう》　しらじらしいことをいうな。この世には、天命というものもある。そして人間は、それを意のままにはできないのだ。

虞姫《ぐき》　ああ、それがあなたのお言葉でしょうか？

項羽《こうう》　おお、俺の中に詩が浮かんできた、墨と筆を持ってこい。

虞姫《ぐき》、それらを持っていく。項羽、白壁に傷を負っていない左手にて詩を書く。

力は山を抜き、気は世をおおう
時、利あらず、騅《すい》はいかず
騅のいかざる、いかにすべき
虞《ぐ》や、虞《ぐ》や、汝《なんじ》をいかんせん

このように一気に書き上げて朗読する。

虞姫《ぐき》　（深く息を吐いて）私にも詩ができました。（項羽の詩に並べて書く）

漢の兵《つわもの》、すでに地を略《りゃく》す
四方楚《そ》歌の声、……

虞姫《ぐき》　（ここまで書いて筆を止め）ああ、私にはこの先ができません。

項羽《こうう》　ふむ。お前が何を書こうとしたか俺にはわかっている。おそらくお前はその先をこんな風にやろうとしたのだろう。『大王、意気を尽くす、いやしき妾《わたし》が、なんぞ生をやすんぜん』とでも。そう書いておけ。俺たちはもう互いに嘘をついている時ではない。

虞姫《ぐき》　あなた、私が、このとっくに死んでいるこの身体で、まだ自分の生死のことなど考えていると思ってらっしゃるのですか。いえ、私たちはそんなに弱い、不幸な者でしょうか？　私たちはこんな苦しくつらい世界でも、いやしい敵が知ることのできない、高潔《こうけつ》な幸せや誇りを感じることができます。私はその気持ちを詩にすることができません。私は今踊《おど》ることも、歌うこともできないほどの高みにある厳しい寂しさを感じています。けれども私の心には、静かな悦びがみなぎっています。それは生死以上のものの気がします。(次第に感情が高まり)ああ、私はあなたのお傍《そば》に置いていただいて、その無言の時のながれのなかで祝福の人生を送りました。私の一生はただ三つの言葉でいい尽くせます。「よろこび」と、「感謝」と、「誇り」と。私はもう私ではありません。いつまでもあなたが咲かせ、あなたのために咲き香り、そして万人の中で咲き誇るよろこびの花です。私のこのよろこびは天地にみなぎって、死をも懐に吸いこんでしまいます。たとえ私たちの身体はなくなってしまったとしても、私たちがこれまでずっと感じてきた幸せと誇りは、永久に太陽のように輝きますわ。たとえ私たちは別々の場所で命尽きようとも、私の身体をのみ込む地面からはよろこびの花が咲いて、あなたの魂をそこに導くでしょう。(次第に高揚して)ああ私はなぜこんなに嬉しいのでしょう! 私を抱きしめてください。愚か者の罪を許すあなたの大きな懐《ふところ》に!

項羽、虞姫《ぐき》を抱く。荘重な沈黙。桓楚《かんそ》一人登場。

桓楚《かんそ》 (礼をして、憤慨《ふんがい》しながら)実に嘆《なげ》かわしいことが起こりました。

項羽《こうう》 どうした。

桓楚《かんそ》　大王はあの歌をお聞きにはなりませんでしたか。

項羽《こうう》　聞いた。それがどうした。

桓楚《かんそ》　調べましたところ、あれは張良の策略だったのでございます。誰だって、あの笙《しょう》の音につれて故郷の歌を聴く者は、自分の運命を考えるような気持ちにさそわれます。希望あるものは希望を感じ、苦境にある者はますます悲観に沈みます。そして人は死を考え、わが身のいまを考え、愛する者の身の上を考えます。あの歌を聞いて、残っていた味方の八千の将兵はすっかり沈みこんでしまいました。そのほとんどの者たちはだれに相談するでもなく、おのおのひとりで陣を抜けだして、どこへともなく散ってしまったのでございます。

項羽《こうう》　何、散ってしまった？

桓楚《かんそ》　それを知って、直ちに厳しく警戒線を張らせました。そして逃げて行くものを一人でも見つけたら、すぐに取りおさえて厳しい処分をくわえるように命じました。ところが、その警戒の任に当たった者たちが逃げてしまう始末で、どうすることもできないような次第でございます。もはや後に残っている者は、わずか一千あまりです。

虞姫《ぐき》　(独白) ああ、わずか一千。そして敵は五十万。私たちは十重、二十重に取り囲まれている。そして敵は、もう声の届くところまで来てしまっているのだ。

桓楚《かんそ》　ことここに至っても、まだこのような卑劣な手段を使って、我らをなぶり殺しにするという根性は、七度生きかえって呪っても、呪いきれません。

項羽《こうう》　(激怒して) 行け！　もうきさまのそんな言葉を聞いていたくない！

桓楚《かんそ》、去る。

虞姫《ぐき》 あなた、私に剣を貸してください。私だってあなたの妻です。意気地のない漢の兵士なら、五人や、六人は殺せるでしょう。私はあなたとともに討ってでて、最後まで潔く戦うためにこの鎧《よろい》を着たのです。そして私も女ながら、大王さまに連なるものだということを示してやりますわ。あの剣をくださいませ。

項羽《こうう》 (じっと虞姫《ぐき》の顔を見て)やろう。あの剣は、俺が五つの時に死に別れた母親からいただいた宝剣だ。俺はあれで最初に殷通《いんつう》の首をはね落とした。次にお前の恋人の王陵《おうりょう》を片づけた。それから後は……地獄の役人が覚えているだろう。

虞姫《ぐき》 (壁から一つの剣を外しとって、それを抜いて刃を見ておののく)まあ、この刃のこぼれていること!　あなたがお使いになるには、減って軽くなりすぎてますわ。けれども私がつかうにはちょうどいいでしょう。さあ、あなた。ここに口づけをしてくださいな。昔から妻に剣を授ける時には、それに口づけをすることになっています。

項羽、唇を刀身にあてるまねをする。

虞姫《ぐき》 ありがとうございます!　私の願いはかないました。あなた、私はお先に行ってお待ちしています。(自らの喉に剣先を突き立てる)

項羽《こうう》　（起ち上がって彼女を見下ろす）

虞姫《ぐき》　あなた、あなたをあざむいたことをお許しください。（息絶える）

項羽《こうう》　（左手で頭髪をかきむしり、虞姫《ぐき》の死にゆく魂を呼びもどそうとするように強くいう）それは俺のいうことだ。……あざむかれたのは俺ではない、お前だ。俺はお前にだまされたようなふりをして、お前に別れの剣をさずけてやった。お前は自分の大罪を、自らの手によって罰しなければならなかったからだ。今こそ俺は、お前の罪をゆるしてやる。俺がいったことは、全部うそだ！　絶望したというのもうそだ！　あの詩もうそだ！　天命があるというのもうそだ！　そんなものがあるものか！　あるものは、ただ自らの力だ。奮闘だ！　勝利だ！　あの諧謔《かいぎゃく》の詩よ、この城とともに焼け失せてしまえ！　俺はこれから一人で故郷の江東へ逃れて行く。あそこにはまだ俺を慕《した》って、俺のために命をなげうつ若者が数知れずいるのだ。その兵を率いて、俺は再び一年のうちに、あの成り上がり者をたたきつぶしてくれる。二十四の歳に兵を挙げ、それ以来戦いつづけること百度、いまだ負けを知らない。そんな俺が、いまはじめて、ちっぽけでも負けというものに出会った。しかし俺は、今まで勝ち続けることによって力を鍛えてきたように、今度はこのちっぽけな負けというやつによって、俺がさらにどのくらい強くなるかを見せてやろう。左の腕が一本でも残っている限り、項羽に大軍はいらないのだ。

再び悲しい歌声が聞こえてくる。項羽、呆然《ぼうぜん》として、ふと後ろをふり返り、血みどろになった虞姫《ぐき》のしかばねを見る。

項羽《こうう》　ああ……、しかし、お前は死んだのか。俺を一人置き去りにして逝《い》ってしまったのか。それは本当なのか？　お前が死んだのもまた夢ではないのか？　夢であってくれ。（虞姫《ぐき》の身体を抱きかかえ）おい、お前のあの可愛い、美しい生命《いのち》はもう戻ってこないのか？　ああ。何だってお前は、俺がどうしても罰しなければならないような、取りかえしのつかないあんな罪を、無断で犯したのだ。ああ俺は、どれだけお前の愚かさのせいで苦しまされたか。しかしもう俺は、こんなにお前をゆるしているのだ。生きかえってくれよ。おお、わが人生の美しい泉よ。もういちど生きかえって、あの慰めるような微笑みを見せてくれ。「あなた」といってくれ。春の若草のようなやわらかな手で傷口に布をまいてくれ。俺を抱いてあのしつこい口づけをねだってくれ。おお、お前の生命《いのち》はどこへ行ったのだ！

敵軍が歓呼の声をあげて押し寄せる音が、笑い声のように聞こえる。

項羽《こうう》　（立ち上って窓際にいき、歯ぎしりしてそれをにらみつけ）おのれ、命知らずの夏の虫どもめ。もう俺を滅ぼした気になって笑っているな。あわて者め。項羽の首が項羽の身体にくっついている限り、気を抜いて笑うことなどできないのだぞ！　俺が亡びるものと思うのか。そしてこの妃《きさき》の貴《とうと》いしかばねを、ここできさまらの卑しい目にさらさせると思うのか。（刀をぬいて燭台《しょくだい》をなぎ倒す。また虞姫《ぐき》を見て）おお、しかし俺はたとえ中華を征服し、そして全世界の民をわが臣下にしようとも、俺にはもう勝利の喜びはないのだ。おお、お前は俺を、ひとりこの寂しい世に残して、俺のあらゆる希望と、力と、人生と、太陽を墓まで持っていってしまったのだ。ああ、もう俺に何の生き甲斐があろう？　人生があろう？　わが妃《きさき》よ！　わが月よ！　おお、おお、おお！（激しくもだえ泣く）

（幕）

楚

捲土重来《けんどちょうらい》

「捲土《けんど》」とは土煙《つちけむり》をあげるほどの勢い、「重来《ちょうらい》」とは再びやってくるという意味。一度敗れた者が、強い意志で再び、攻め返すことの喩えで、一度は力を失った劉邦《りゅうほう》が再び、勢力をもり返したことから生まれた故事成語。唐の詩人杜牧《とぼく》による。

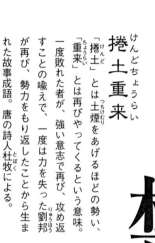

漢 項羽と劉邦

終幕

烏江《うこう》のほとり

正面に対岸がかすむ、果てしない大河の背景。水面をわたる風に河畔《かはん》の葦《あし》がそよいでいる。

張良《ちょうりょう》　どうだね。笙《しょう》を吹かせた私の策略はうまくいったろう。

曹参《そうしん》　確かに。あれっぽっちのことでしたが、想像をはるかに超えた効果でした。さすがは張良どのの知略です。

張良《ちょうりょう》　なに、時機さえ誤らなければ、運命の一つや二つ、転がすも起こすも、急所に指一本当てればどうにでもなるのさ。いや、うまくいく時は不思議とすべてうまく行くものだ。韓信《かんしん》だって、あの李左車《りさしゃ》がまさかあれほどに成功しようとは思ってもみなかったに違いないよ。

曹参《そうしん》　李左車といえば、本当に変なやつでした。虞美人《ぐびじん》が自害したと聞くと、何を思ったのか急に剣や鎧《よろい》を投げ捨てて「ああ俺もこれだけひどいことをしたんだ。もう十分だ。これからは罪ほろぼしに俺は道士になる」といって、いきなり百姓の格好になって、北のほうへ姿をかくしてしまったそうですよ。

張良《ちょうりょう》　大方、あの女を連れて項羽の城に行く間に、あの女に情がうつったのだろう。だがやつはもう、その役割をし終えたんだ。この戦いで一段落ついた後で、やつを将軍に取り立ててやろうと思って

どうだね。私の策略はうまくいったろう

いたが、そういうなら道士にでも儒者にでも勝手になるがいいさ。ははは。……とにかくえらい風だ。

曹参《そうしん》　たしかに。あの墨を流したような雲が走っていく様子は、まったく世の動きのようで……まったくすごいですな。平和の予兆でしょうか？

部下一　私たちはここに隠れていたらよろしいのですか？

張良《ちょうりょう》　そうだ。このあたりのどこでもいい。適当に散らばって、葦《あし》の中に隠れておけ。俺の合図があったら打って出ろ。

部下二　しかし、あの青鬼を生け捕りにしなければならないので？

張良《ちょうりょう》　ははは。項羽ときくとお前たちは顔色を変えてびくびくするな。なあに、もうそんなに恐れることはない。やつがあの垓下《がいか》を抜け出てからもう三日になる。その間、やつはほとんど不眠不休、飲まず食わずで戦いつづけているのだ。いくら青鬼の項羽といっても、もうここまでたどりつく頃には、疲れ果てて剣をふるうことさえままならなくなっているだろうよ。

右手より、伝令登場。

張良《ちょうりょう》　どうだ？　やつはこっちに来るか？

伝令　来ます。もうあの河を渡りました。

張良《ちょうりょう》　しめた。これでやつは、袋の中のネズミだ。

曹参《そうしん》　とんでもないネズミがいたもんだ。それで、部下はどのくらいいるのだ？

伝令　おとといの夜、やつが自分の城に火を放って垓下を出た時には、まだ八百騎くらいはいたようです。それがきのうには半分、そして今日、あの長い森をぬけて河まで来たときには、もうたった二十騎ばかりになっていました。

曹参《そうしん》　二十騎か……。いくら青鬼項羽でも、もう諦めるよりほかないだろう。

伝令　ところがやつは、やつが乗れるように、こちらが用意しておいた渡し船で渡りきると、すっかりそれで落ちのびることができたものと思って一気に油断してしまったようです。「俺は項羽だ。お前はあの英雄、項羽を助けたのだ。俺は誓うぞ。お前の一族がずっと栄えるよう、一年後にはお前に会稽《かいけい》の太守の地位を与えてやる」と渡し守にこういって、その誓いの印に例の烏騅《うすい》をくれてやったとのことです。

張良《ちょうりょう》　ははは、会稽《かいけい》の太守の死で始まったやつの運命が、図らずも同じ役職になる者にひっくり返されるといった形だな。

伝令　さすがにあの名馬と別れる時は、やつも涙ぐんでいたとその渡し守がいっていました。

曹参《そうしん》　（張良に）とにかく江東《こうとう》への道はこれ一本しかないのだから、やつが落ちのびていくとしたらここを通るほかありません。後ろからは漢王さまと韓信《かんしん》どのが、四十万の大軍で追いつめてくる。そして、ここであなたと私とが待ち伏せして、やつめに最後のとどめをさしてやります。ここまでいたるところに見張りを配置しております。これでし損じることがあれば、天は項羽をまだ見捨てていないということですね。

張良《ちょうりょう》　やつはまだあきらめていないのだよ。「江東《こうとう》に行きついたら」、「江東《こうとう》に行けさえしたら」と思っているのだ。だが、もうそろそろ、やつがボロボロになって姿をあらわす頃だ。一同、用意せよ。

部下一　（恐怖で緊張して）い、いつでも。

伝令二　（急いで登場）項羽はもうそこまでやってきております！　まさに鬼神のような暴れ方です。まるで雷神が怒り狂って、叫びながらすべてをなぎ倒しているようです。

部下二　（顔色を変えて）ええ！　隠れろ、急げ！　（去る）

張良《ちょうりょう》　部下はまだいるのか？

伝令二　もうあの桓楚《かんそ》一人きりです。二人とも血みどろになっています。矢がささって針鼠《はりねずみ》のようになりながらも、項羽めは倒れてもすぐに立ち上がって、左の手一本であの夏侯嬰《かこうえい》さまを真っ二つにしてしまいました。髪を逆立てふり乱して走ってくる姿は、とても人間とは思えません。

張良《ちょうりょう》　ふん、いくら強くても力は知恵にはかなわない。そして天命を変えられる者などいない。皆、おそれるな！　絶対にここでやつの首を取るぞ！

伝令二　ああ、もうここまでやってきました！　もう項羽一人になっています！　（逃げ去る）

張良、合図の笛を吹く。伏兵のときの声が上がる。

張良《ちょうりょう》　よし、ここまで来たら俺も戦ってやる。いくら何でも、「あれだけ消耗している項羽を見ても、打ちかかる勇気がなかった」などといわれては俺も恥さらしだ。

曹参《そうしん》　いや、さすがにあなた一人では無茶です。私もお手伝いします。あなたが前から切りつけている間に、私が後ろから刺してやります。（傍白）へ！　きさま一人に手柄を立てさせてたまるものか。

二人、剣を抜いて右手側に退場。鼓を鳴らす音、ワァと上がる鬨《とき》の声。剣の打ち合う音。部下の兵が大勢、張良と曹参《そうしん》の二人を助けるため、左手から舞台をかけ抜けて右手に行く。やがて「万歳！」の声がひびく。張良、全身に血に浴びて真っ赤に染まりながら、右手に項羽の首を、左手に剣を持って曹参《そうしん》とともに戻ってくる。部下の兵、項羽の身体を引きずってくる。曹参《そうしん》、それを奪い取る。皆、自分らの獲物を確認するように集まり、「おお、こいつが項羽か」などといいながら、入れ替わり項羽の首と身体を見にくる。風が吹き抜ける。

部下一　とうとうくたばりましたね。

曹参《そうしん》　いや、どうにも恐ろしいやつだった。（張良に）私がよこから脇腹をズブリとやると、やつは「この首はきさまらが取ったのではない。俺がくれてやるのだ」といって、左の手で自分の首を斬り落としたではないですか。やつを刺した私の剣は、まるで岩の割れ目にはさまった杖《つえ》のようにボキッと折れてしまったのです。

部下二　やつめ、首のない身体で突っ立っていましたぜ。

張良《ちょうりょう》　まあ、あくまでも項羽らしい死に方をしたということだろうな。やつも満足だろうさ。さあ、漢王さまがこの首をご覧になるまでは、丁重にしておかなければならないぞ。

あくまでも項羽らしい死に方をした

とうとう討ちとったな

ヒョウ革のマントを地に敷いて、その上に項羽の亡きがらを横たえ、台の上にその首をのせる。

曹参《そうしん》　とにかく彼の生への執着《しゅうちゃく》と粘り強さは、おそるべきものでした。最後の一人になって、自分の脇腹に私の剣でとどめを刺され、息の根が絶えるというその間際《まぎわ》まで、なんとか生き延びてまた運命を取り戻そうとあがきつづけておりました。

部下一　はっ、たしかに。ふつうなら昨日のうちに降参してしまうか、諦めて自害してしまうかしています。いやそれよりも、あの垓下《がいか》で虞美人《ぐびじん》が果てた時に、自分も一緒に死のうと思うものですが。それをこの項羽という男は、今の今まであがき尽くしても、まだ駄目だとは思わなかったのです。何といっても、さすがは天下の覇王《はおう》です。

部下二　ああ、漢王さまがお着きになった。

一同、各々の兜《かぶと》を脱ぎ、それを抜き身の剣先で高くかかげて勝ち鬨《どき》を上げる。その中を劉邦《りゅうほう》が迎えられる。
劉邦《りゅうほう》は韓信《かんしん》以下の諸将をしたがえ、赤い旗にかこまれて歓声の中をいさましく登場。張良たち、出迎える。

劉邦《りゅうほう》　(項羽の亡きがらに近づきながら)とうとう討ちとったな。

張良《ちょうりょう》　ご覧の通りです。これで長きにわたった戦いも、ひと段落がつきました。天下はようやく暗雲をおいはらうことができました。

韓信《かんしん》　これからは太陽も、人と喜びをともにして中華の民の上に、おだやかなぬくもりをもたらすでありましょう。

劉邦《りゅうほう》　貴《とうと》い亡きがらだ。虞美人《ぐびじん》の遺骨と一緒にして、丁重に葬《ほうむ》ってやるがよい。そうだ、虞美人《ぐびじん》の遺骨はあるのか？

蕭何《しょうか》　いえ、それが城と一緒に焼けてしまったので、遺骨は残っていなかったのでございます。けれども、不思議なこともあればあるもので、焼け落ちたその城跡に、昨日あたりからにわかに見たこともない美しい草花が咲いているのです。

劉邦《りゅうほう》　何？　焼け跡の灰の上に、花が咲いただと。

蕭何《しょうか》　私もそれを自分の目でたしかめないうちは信じられませんでした。しかし、その虞美人《ぐびじん》の血のように赤い花を見て、そして土地の娘などがもう虞美人草《ぐびじんそう》と名付けて、てんでに髪に挿したり胸を飾ったりしているのを、この目で見て確かめてきました。

張良《ちょうりょう》　ふむ……、きっとまた迷信好きな民が、たまたま生えてきたきれいな花をみて、切ない想像をはたらかせたものと見えますね。

劉邦《りゅうほう》　いや、俺はそれを別に不思議とは思わないぞ。この世は不思議なことばかりだ。そもそも俺が今までこの危うい運命をもちこたえた上に、こうして最後に項羽の首を眺めていること自体、不思議なことではないか。それこそ諸君の力なくば、項羽と俺が入れ替わっていても不思議ではないのだ。ちょうどよい。この男の亡きがらを、その虞美人草《ぐびじんそう》とやらの茂みの中に埋めてやるがよい。それがせめてもの供養じゃ。（項羽の首をとってそれをながめ）わが友、わが恩人、君はとうとうこんな姿になってしまったのか。それが私にとって、どれだけ大きな損失なのかわかってもらえるだろうか。君は私を小ずるい、うそつきの恩知らずだというだろう。しかし私は、君を打ち破らなければ生き残れない運命にあったのだ。君は英雄らしくたおれた。しかし君はずっと私の中にいて、私を諌《いさ》める鬼として生きつづけるだろう。（その口に口づけし）わが友の魂よ、祝福を！　こうして今、君の首を打ち取ってみると、これまで張りつめていた心が、一挙にぬけていくような気がする。ライバルというものを討ちとった今わかったが、私は最も大切な宝を失ったようなむなしさを感じる。人生最大の敵であり、わが運命をはばむ者であり、そして生命を競い合う者であった君が、誰よりも私にとって大切な知己《ちき》であり、道づれであり、教師であったと感じる。しかし君は私の喜びを知っていても、私の寂しさを知るまい。君から天下の主《あるじ》を引きつぐのは私の天命だ。たとえ自信がなくても、そしておそれていても、縮《ちぢ》こまったり投げ出したりしないだろう。私はこの盃《さかずき》を、たまたまあたえられたものではなく、必然の力によって招きよせたものとして受けたい。だが、私にその盃《さかずき》を受けるべき資格を授けてくれた者は君だ。私の本当の力を鍛えるために、天が君を授けてくれたことを感謝する。君が私を打ち砕き、私を鍛えることがなかったなら、天子になったとしても君のようにその命を散らすことになっただろう。我々は君によって壮烈な力というものを知った。しかし、私がなすべき仕事はこれからのものだ。私は万民が待ちこがれてきた平和の日々のなかで事業を積みあげ、天意にかなう天子となりたい。そして万民に歓びと平和をもたらしたい。今までのすべてはそのための試練であったのだ。それが終わったことを示すため、君の首を打ちとったこの血なまぐさい剣を、この最後の戦地に葬《ほうむ》る。（自ら剣を取りはずして長江に投げ込む）

河の向こうより煌々《こうこう》と輝く月がのぼる。劉邦、そのほうに向かって手を合わせて祈る。

ああ。来たれ！　平和よ。偉大なる永遠の平和よ、よろこびよ。私はおまえを待ちのぞんでいる。

そして我々はそなたの中に、我々の愛する戦いを見出すであろう。

一同、首を垂れ。劉邦《りゅうほう》とともに祈る。月、次第に高く昇る。

（静かに幕【完】）

ああ。来たれ！ 平和よ

項羽と劉邦

解説 長与善郎

現実的戯曲について

　これはおそらくどんな人が読んでも、おもしろく読んでいただける作品だといえるのではないでしょうか。素材そのものが、すでにご存じのように、戯曲のためにできているような興味深い劇詩《げきし》なのです。かつて私は思い立って、少しばかりこの素材に挑《いど》んでみたことがありました。そして去年の春、史料を手に入れてくわしくこの内容を知ることができ、それによってさらに深い感興《かんきょう》をそそられたのです。そのときこの素材、つまり『漢楚軍談《かんそぐんだん》』が、各巻で独立したものではなく、全体を通して組み上げられたものだということを知ったのです。そして、いつか全曲を通して書いてみたいという希望を持つようになりました。昨年、その『漢楚軍談《かんそぐんだん》』を読んで八月から筆をとり、なんとか今年の四月にひとまず完結させたのです。しかしそれに飽《あ》き足らず、さらにこの七月の末まで訂正《ていせい》と仕上げを行って、ほとんど別なものになったと思われるくらい筆を入れつづけました。つまり私はまるまる一年余をこの創作に要したわけなのです。けれども私は現在の自分の力として、今ではそれだけのものができたと自負しております。

　この作は、私には記念すべき作であるといえましょう。私は、この作品ほど一つの材料と、長い時間をかけて、根限《こんかぎ》りの精力を注ぎ込んで向き合ったことはないでしょう（それはまた、そのはずです。取り組むという能力もまた、力の生長《せいちょう》にもよるものなのでしょうから）。一年間、私はこの作に浸りきり、ほとんどいつどこにいる時も、この材料はたえず私の念頭の奥深く乗り移って、離れる時がなかったといってもよいでしょう。それだけに私はまたこの創作においてのように、自分の力の極限を露骨《ろこつ》に感じ続けたこともなかったのです。とにかく私はこの作において、あらゆる作り上げる時の気持ち――机に向かうことが恐ろしいような緊張や、夜も眠れない空想の興奮や、頭に音楽の鳴り響くような創作的衝動《しょうどう》や、力の不足をあまりに直接に感じた時の惨《みじ》めな気持ちや、行きづまった時の打ち砕《くだ》かれたような情けない絶望や、疲れ切ってペンを投げ出すような嫌気《いやけ》や、道に迷った時の不安や、また思いがけなく道の開けた時の希望の嬉しさや、素材の内により深い意義の新しく発見された時の喜びや、またあらゆる作中の人物とともにする種々雑多《しゅじゅざった》な気持ち、――を今まで以上に深く多く経験しました。私は、あるところでは一行の台詞《せりふ》のために二か月以上を費やし、ある箇所《かしょ》は約二十遍《ぺん》も書き直すことになりました。そんなことはすべて創作上では当たり前の苦心なのだといわなければならないのでしょうが、それでも私はたえず関門にぶつかりながら、ねばり強くこの作にしがみついて、とうとう完成品に近いものにすることができたのです。

ある人は、この脚本を舞台にのせるものとしては、少し長過ぎるというかもしれません。けれどもそれは、自由のない見方でしょう。私はこの材料をこのようにしか扱う気がしなかったのです。そして、このように扱った以上は、私はこれより短く書く必要も、長くする必要も認めなかったのです。どちらかといえば、もう少し長く書いたほうがよかったろうというほうが、いくらか理屈が立つかもしれません。というのは、人の一生が長ければ長いだけ、その臨終《りんじゅう》の感じが深くなるように、運命もくわしく書かれてあればあるほど、最後のカタストローフがいっそう色濃くなることは普通のことだからです。しかし運命の感じ、そして運命の内容を書き表すということは、運命の外的経過を長くくわしく記《しる》すことではないのです。運命の外的経過をできるだけ詳細に、正確に記述することは歴史の職務で、芸術の職務ではありません。運命の外的経過には、その運命の生命に交渉のない事実がいくらもあります。運命の外的経過というものは、その内容と感じとを丸彫《まるぼ》りにするための骨材《こつざい》となり、肉体となる材料として役に立ちます。芸術では外的な運命がひとつひとつ内的な運命の中で活動し、内的な運命が外的な運命によってよく生きなければなりません。その二つの運命の関係が、有機的《ゆうきてき》であればあるほど、その芸術はいいものであるといってよいでしょう。

ある人はまた、この素材のとり扱いにおいて、私が自由にし過ぎているというかもしれません（現にそういった人もいたので、私はこんなことを書いているわけです）。たしかにこの脚本の筋には、歴史上の筋と齟齬《そご》しているところも少なくないです。けっして私は歴史を無視する者ではありません。しかし歴史は事実であるところに価値がありますが、芸術は事実よりもそれ以上のもの、それ以上の真実でなくてはならず、また内容の上に無駄があってもならないのです。例えば、事実は泥だけの塊《かたまり》であるものが、芸術ではよくねられ、よく鑑《かんが》みられて完成した美術品でなくてはなりません。おそらく歴史の生命は、その含んでいる暗示にあるといえましょう。その暗示によって、単なる現象的事実の中から現象以上の真理や、美や、倫理的性質をつかみ取り、それに芸術家自身の息を吐き込み、血と肉とをあたえて、生々《なまなま》しい有機体《ゆうきたい》となったものが芸術なのです。他の言葉でいえば、事実という神秘《しんぴ》的な謎の解きかた、生かしかたに芸術の困難なおもしろみがあるといえましょう。事実はどんな簡単な、あるいは無意味な偶然《ぐうぜん》からも生まれることがありますが、芸術では、たとえば「偶然《ぐうぜん》」を許そうとも無意味は許されないのです。もし偶然《ぐうぜん》のようなことがあっても、その偶然《ぐうぜん》の裏に、作者がある必然を意識していなくてはなりません（もちろん、ある場合には「偶然《ぐうぜん》」の力を借りるよりほかに、運命の進めようのない時もあります。しかし、このような「偶然《ぐうぜん》」は、いわば人力以上の「偶然《ぐうぜん》」ともいうもので、偶然《ぐうぜん》や必然を超えて「運命」をそこに出現させるものなのです。その場合には「偶然《ぐうぜん》」が出てくることがもっとも適切で、したがってその「偶然《ぐうぜん》」によることがもっとも必然でなければならないのです。それは単に作者に都合のよい安易な偶然《ぐうぜん》ではいけません。かえって必然さをもっともよく活《い》かすための偶然《ぐうぜん》であり、作者の力の絶頂《ぜっちょう》に、神の啓示《けいじ》のような威厳《いげん》をもってのぞんでくる、ただ一つの道のように見えるものなのです。このような「偶然《ぐうぜん》」には偉大な必然と同じ権威《けんい》があります。平凡な作者の作品に現われる「偶然《ぐうぜん》」は、ただ薄弱《はくじゃく》な必然さを感じさせるのみで、しかも「運命」というものを感じさせる力などありません。しかし天才の優れた作中に現われる「偶然《ぐうぜん》」は、本当に偉い人間でなくてはそこに呼び寄せることのできない人力以上な必然、そしてその必然の恐ろしさ、「運命」を感じさせるものなのです。私たちはその「偶然《ぐうぜん》」に驚き、おののくけれども、その必然な力に圧倒されるのです。――私はここにその例をあげることができないのですが、――こうしてよく活《い》かされた「偶然《ぐうぜん》」は、平凡な必然にもまして美しいものの、それだけにその取り扱いは実に危険で、困難なものなのです)。芸術では単に「こうであった」というのみでは足りないのです。どうして「こうなった」か、それが大事なのです。原因の意義の深さが大事なのです。現実では、ほとんど無根《むこん》な原因からも重大な結果は生まれるものですが、芸術においてはいかなる事件にも、作者が重大な根拠と責任とを感じていることが求められます。その原因と結果との間の運命の必然なりゆき、その必然さの意義の深さ、特性、統一に芸術があるのです。したがって運命をより必然なものとし、あらゆる事件の動機を、実際よりもその因果の深いものとすることで、全体の運命の融合と統一をしていく芸術家に、事実を自分の思うように扱う権利があるわけです。なぜならこの権利によってはじめて、現実では、貧弱な動機と重大な結果を持ったり、あるいは重大な動機を持ちながら貧弱な結果に終わったりする歴史上の事実が、真に活《い》きてくるからなのです。事実の外形は歴史に求めればよいでしょう。しかしその性質、包まれた内容、感じは芸術に求めるべきなのです。もちろんできるだけ事実の内に、あるがままの意義を探り、それを生かさなければなりませんが、その同じ目的のために事実の形を細工することに、芸術家の自由を許すべきものなのです。

一体、創作的天分の強烈な者が、ある素材をあつかうときは、その素材に深くくい入ればくい入るほど、その作は自然とその人の創作的性格が強くなるものです。いうまでもなく、その素材をあつかう理由は、彼が彼自身をその素材の内に見出すからで、それを書くことによって己をよく活《い》かしうると感じるからです。それゆえその素材は、その芸術家のものになり切ればなり切るほど、実際よく活《い》かされたといえるでしょう。このような場合には、読者の目の前に何よりも強く現われてくるものは、その素材自体ではなくて、それを通じて現われる作者の個性（人間）なのです。理性の目から見ると、それは素材そのものの本性からは遠ざかった、あまりに大胆な、あるいは変則な素材の濫用に見えたり、無謀《むぼう》な専用《せんよう》に思われたりするかもしれません。ところがこの個性の味というものは、一般の人々は興味を持たないものです。素材ばかりが目の前に出てくるようなものであったり、感情や主観が稀薄《きはく》だったり、一般人の気に入るようなものである時は、それがどんなに都合よく作り変えてあっても、人々はそれを専横《せんおう》な作だとはいわないものなのです。もとより、素材と作者とが完全にうまく調和して活《い》かし合ったものが、美しいものであることはいうまでもないです。しかし芸術と事実との区別を知らないで、事実に固執《こしつ》し過ぎてその間の微妙な味につきない美をつかめず、作者の内の必然さに愛を持つことができない人は、芸術には縁の薄い人といえましょう。芸術には芸術を求めるべきなのです。もし作者にとって必然な流れであるものが、たとえそれが事実から離れているとしても、それは離れてもいいのです。芸術には、ただ彼の個性の味と体内に息づく生命の力が、必然の美しさをもってにじみ出ていれば十分なのです。

芸術家をして、彼の世界と道徳を築くために、あらゆるものから自由であらしめよ。彼の内よりほとばしる奔流《ほんりゅう》をして、あらゆるものを押し流し、浄《きよ》めしめ、輝かしめよ。王のごとき自由を持つ彼をして、ただ力に充ち、美にあふれた、完全無欠な芸術を生ましめよ！

これは少なくとも現実的材料（歴史物であれ、現代物であれ、脚本と小説とを問わず）を扱った文芸に対する私の意見です。この意見を自分がどこまで実現しているか、それは私にはわかりません。素材がよく、そして大きいだけに、この素材を完全に活《い》かすことは私には十分にできなかったかもしれません。ですが、少なくとも私は、この豊富な素材と向き合うことで、できるだけ私を活《い》かす機会をのがすまいとしました。そしてこの素材に取り組めるだけ取り組んだことによって、自分と素材とを融和させ、かつ活《い》かそうと全力をつくしました。あらゆる場面を、私は自然にすべてクライマックスを書いている気持ちで書ききったのです。

ほどなく私は、この作よりも進んだものを書くことになるでしょう。また、いうまでもなく、書いていかねばならないです。しかし、この素材によるこの脚本が含んでいる味を、私は永久に愛をもって認《したた》めていくでしょう。確かにこの作の中には、後年の自分にも著《あらわ》せない、ある味があると信じています。

この作は大体において史伝《しでん》とされているものにのっとっています。この作中には、いたるところに史伝《しでん》（それがすでにどこまで事実かはわからないのですが）と露骨《ろこつ》に違っているところがありますが、私はそれをいちいち断る必要を感じないのです。なぜなら、ある意味でこれは全部私の創作といってもよいからなのです。とにかく、これは自分の今まで書いたもののすべての中でおそらく一番よいものだと信じています。かなり骨を折っただけに経験上の収穫も大きく、自分の道をはっきりさせる役にも立ちました。しいて不満をいいつのることもできますが、それは現在の力としてやむを得ないので、今の私にはとにかく素材をこれ以上には書くことはできないでしょう。私はこの書によってはじめて満足な出版にいどむ喜びを味わい、そしてこの作がなるべく広く読まれることを希望しています。

最後に、さきに『白樺《しらかば》』誌上で、この脚本――それはほとんど素案《そあん》で、多くの欠点と、不完全さとを持っている――を読んだことのある人も、もし機会と気持ちがあれば、いつかもう一度この新しく仕上げられた『項羽《こうう》と劉邦《りゅうほう》』を通読してもらえると、私のいっそうの喜びであることをつけ加えさせていただきます。

一九一七年八月二日

長与善郎

訂正《ていせい》再版序

この本がこんなに早く再版になってくれたことは意外に思いましたが、嬉しいことでありました。しかし私は初版を出すやいなや、その中に一か所大きなしくじりをしていたことを、発見してしまいました。そのため、この本がはじめて出版された喜びはかえって落胆になってしまったのです。せめて再校の時にでも、どうしてこんな明白なことに気がつかなかったのかと思ったものです。しかし失策に気がつく時は、大抵の場合、後になってです。幸いなことに私は、思いがけなくこの本の再版の報に接したので、遅れながらも、しくじりを改めることができたわけです。それでいささかしつこいようでもありますし、また初版の読者に対しては実に心苦しいことで、すまないわけですが、この本は訂正《ていせい》して出すことにしました。

再版にあたって訂正《ていせい》したところは、この脚本の扱っている全運命の絶頂《ぜっちょう》で、分水嶺《ぶんすいれい》となるところです。そして私はこの訂正《ていせい》によって、やっと全体の運命の傾斜《けいしゃ》を、——嶺《みね》のこちら側も、あちら側も、自然に釣《つり》合いよく、なめらかにすることができたと同時に、各人物の内外の運命をも、ともにより必然にし、明瞭《めいりょう》にすることができたと喜んでいます。

なおその他の、ところどころのこまごました言葉のいいまわしなど、直しておいた箇所《かしょ》も少しはありますが、初版の中で気がついた誤植《ごしょく》も訂正《ていせい》しておきました。

ついでながら、ある必要を感じて、「白樺《しらかば》」六号記事から次の文句を抜いてつけ加えておくことにします。

「自分があの作をどういう意志で書いたかを、やむを得ず少し説明すれば、自分はもちろんあの作の中に自分の二つの意志、二つの方面を、その二人の中心人物によって現《あら》わそうとした。活《い》かそうとした。そしてそれを幹《みき》として、いろいろの枝葉《えだは》を添《そ》え、花をつけさせた。それは一見すれば、すぐわかることだ。——自分はもしあの材料が単に項羽のみなら書きはしない。劉邦《りゅうほう》がいるから書く気になったのだ。

また劉邦《りゅうほう》を活《い》かすために項羽を書いたのだ。自分は力にあこがれ、征服を欲すると同時に、愛に対するより深い要求をあの中に活《い》かそうとした。しかし自分は自分に超人を書く力のないことを知り、また書く気もないので、自分の理想と意志とを実現したくてする力の足りない征服者の悲劇という風に項羽を扱《あつか》った。そして自分としていえば、「項羽」が「劉邦《りゅうほう》」に負けるところに書く意味をおいたのである。その意味を抽象的にいえば、自分は個人主義的な自分に、個人主義では到底《とうてい》、満足のできない自分が勝っていく、自分の意志の生長《せいちょう》を芸術的に扱《あつか》って見たのである。云々、後略」

なお私はこの脚本を上演される場合には、必ずこの訂正《ていせい》の版によるべきことをここにお断りし、あわせて初版を買ってくださった方々に対してここにお詫《わ》びをいたします。

一九一七年一〇月二四日　著者

この書の改版に際し、河野君の画について一言

河野君は、今の日本で私が安心して尊敬と大《だい》なる期待とを抱《いだ》くことができる、とても少ない画家の中の一人です。河野君は、実に生まれながらの画家、美の造形のために生まれた人間なのです。そういった点で、河野君のように純粋に画家らしい画家を私は知りません。ひばりがさえずることしか知らないように、河野君はただ美術を生むことしか知りません。ただしそのことは、河野君が画家以外の何者にもなれないという消極的な感じでいうのではなく、美術家としての河野君の天分が豊かに恵まれている

ことを意味していっているのです。実際、河野君が画を描くさまは、美しい泉から清水が淡々と涌き出るがごとく自然で、見るのに楽しく、快いものです。

純正な詩人や画家が皆そうであるように、河野君は実にまれな幸幅に恵まれている一人です。ここでいう純正な詩人や画家とは、美の鑑賞にとって障碍《しょうがい》となる余計な「意志」に悩まされることが少なく、鑑賞をもっともそのままに楽しめる明るい心の人のことです。美神によって祝福された人のことなのです。河野君は、物質的には決して恵まれているものではないですが、河野君の心境《しんきょう》はめずらしく火宅《かたく》の難を免《まぬが》れているといえましょう。それは河野君の画家としての天分が豊かであるがゆえだけでなく、またそのまれに見る善良、快活、素直な天性とともに、一種イノセントな智慧《ちえ》を持っているがゆえなのです。実際、河野君は子供らしく、そして本当の意味で利口です。あくどいエゴと愚《ぐ》との意志に縛られた不幸な人には、河野君がいたるところで楽しんでいる清浄《せいじょう》な喜びを想像もできないでしょう。

人ごみの中で私たちが不快さを感じている時も、河野君はただ画の素材だけを見ているのです。ある方面に変に神経質な私たちが、ある感じに縛りつけられて美的鑑賞のような余裕の気分になりにくいときにも、河野君はひとり「無形《むけい》の画」を見て楽しんでいるのです。夏目漱石のいわゆる「非人情」を、もっと趣味でなく、まさに、祝福された本能で実行しているのです。

そういう河野君の向かう先は、必然に装飾的画というものなのでしょう。装飾画といっても、一般にいう意味とは少し違って、もっと本質的に、純粋に内から出る美を直接に表現する画家という意味のことです。そして河野君は不断の研究と、注意と、認識と、経験との努力によって、めきめきと進歩し、最近ではもう立派に想像画家（これは写実家でないという意味）としての独自の領域を自分のものにしています。河野画の特色は、もはや誰が見ても瞭然《りょうぜん》たるものといってもよいでしょう。

私らは皆、河野君の美に感服しています。その美の生まれかたの必然さ、自由さ、独特さに感服しています。実に不思議なのです。美術というものの究極的真理が、種々の不純な概念によって根本からゆがめられていることのひどいこと、過去に例をみないでしょう。そのような現代に、河野君のような本当の画家が生まれ、美術の本道を立派に輝かす人が、日本のしかも我々の近くに生まれてくれたことは実に嬉しいことですし、私らの誇りです。

この本の画はもちろん挿し画《さえ》ではありません。独立した立派な画集です。この本は私の文と、河野君の画との合著であり、合唱であります。私はこの記念ある合著を少なからぬ名誉と思って喜んでいます。河野君はいまだ数え年でようやく二十七になったところです。もちろん河野君の本当の仕事はこれからです。が、河野君はもうある点まではっきりその道をつかんでいます。世界的にもユニークなものとして、また優れたものとして輝く時は、そう遠いことではないでしょう。河野君の長い未来の上に、いやが上にも祝福の多いことを信じ、そして祈っています。

河野君については、いずれいつかくわしく評論する時があると思います。が、今はこの本の出版が、今なお物質的に裕福とはいえない河野君の生活にも、よい結果をもたらしてくれることを望んで筆をおくことにします。

一九二一年六月二九日　於鎌倉

長与善郎

項羽と劉邦

あとがき　松本羶牛

「項羽と劉邦」現代語訳版によせて

「項羽と劉邦」といえば、「三国志」と並んで日本でも人気のある古代中国の英雄物語です。「四面楚歌《しめんそか》」や「捲土重来《けんどちょうらい》」といった数々の故事成語を生み出し、日本人を含む東アジアの漢字文化圏の人々に親しまれ、そして現在も漫画やゲームの題材として人気を博すなど、長い間、愛されてきた英雄物語のひとつといえましょう。

そして長与善郎の手になるこの戯曲は、それを題材にとりながら、大正初期の社会的思潮を映して、これまでの英雄譚《たん》からより一人の人間としての苦悩や葛藤を描き出そうとした作品です。

この「戯曲のためにできているような興味深い劇詩《げきし》」に向かい合ったとき、彼は自らの手でそれを現代劇に作り変えたいと思い立ったのです。そして出来上がったその作品は、当時の社会で叫ばれていた人間中心主義を基調にして、史実にとらわれることなく作者自身が新たに創り出した人物やキャラクター、そしてそれらが織りなす愛憎劇でまとめあげた魅力溢れる人間劇となりました。

人間劇というだけあって、確かにこの作品には、いわゆる英雄ものにありがちな戦闘シーンはほとんど出てきません。そのかわりにこれまで英雄を取り巻く脇役に過ぎなかった女性たちが、作者の生み出した新たなキャラクターが配されたことで縁《えにし》を結びつけられ、英雄らとの間に見せる恋愛や献身、そして互いの間に生まれる因縁《いんねん》や憎悪を生き生きと演じる主役級の場が与えられているのです。一方で、もともと青年項羽を描きたかった長与は、彼に振り回されるキャラクター達にコミカルに語らせ、あるいは嘆かせ、怒らせて読者をその世界に引き込みます。そしてそれが全体にリズムを与え、勇壮一色になりがちな英雄物語を彩《いろど》り豊かなものにしています。こうして出来上がった作品の面白さは、後に白井鉄造氏によって、脚本・演出化された宝塚歌劇団ミュージカル『虞美人草《ぐびじんそう》』の原作となり、何度も上演されていることからも、証明されているといえましょう。

一八八八年東京の名家に生まれた長与善郎は、学習院時代に志賀直哉や武者小路実篤らと大正デモクラシーの思潮と呼応した理想、人道、人間主義を掲げた『白樺』創刊に参加し、文筆活動に入りました。この作品はまさに創刊してから数年の内に書き上げた、白樺派の香りを強く感じさせるものといえます。一九二三年に『白樺』が廃刊するまでその同人であり続け、その後も武者小路の「新しき村」についての文章も残しています。この作品でも、抵抗に立ち上がるときや同志を鼓舞する際には白樺派的用語が多く用いられています。ただ彼は、白樺派のそれのみに没入することなく、次第に強く東洋的自然主義に惹かれるようになったところに特徴があります。作中で劉邦らが苦難を耐え忍ぶときや戦争の跡を振り返るとき、そこでキャラクターに語らせている言葉の内には、彼のいう東洋的自然主義的な諦観《ていかん》がすでに見えてきています。彼はこのあとも、多くの歴史小説作品を残しているのですが、創作活動の中で歴史と向き合う内にそういう人生観が生まれてきたのかも知れません。『白樺』廃刊後も『不士』を主宰するなど、活発に執筆を展開し、代表作として『竹澤先生といふ人』（岩波文庫、一九四一年）、『ショーペンハウエルの散歩』（雄文社、一九四八年）『我が心の遍歴』（筑摩書房、一九五九年）、などを残しています。

さて、ここからは作品の成立についてお話ししたいと思います。実を申せば、この本を現代語に訳出するというお話をいただいたとき、この作品自体についてほとんど基礎知識がなく、私が持っていた知識といえば、まさに通り一遍の「項羽と劉邦」のものしかありませんでした。ですからこの作品でも、若き英雄項羽が、超人的な活躍で秦帝国を打倒して自らが覇王となるものの、その独善さと暴虐さゆえに好敵手《ライバル》劉邦《りゅうほう》の前に倒れるという、よく知られている筋書きで描かれたものだろうと考えていました。しかし一読してその思い込みは裏切られ、その現代の歴史ファンタジーに通じる創作性と、生き生きとした女性たちの活躍の面白さに引き込まれました。

元をたどれば、この作品も、私に先入観を与えた『史記』の「項羽本紀《ほんぎ》」や「高祖本紀《ほんぎ》」が源となっています。それらの物語は、日本でも必ず古典の学校教科書で出会うものです。特に「鴻門《こうもん》の会」や「四面楚歌《しめんそか》」のくだりは、その名調子と相俟《あいま》って、古《いにしえ》の大陸で繰り広げられたであろうドラマチックな世界へ、少なくない学生を誘《いざな》ったはずです。司馬遷によるこれらの文章は、多くを民間芸能で伝承されていた説話を収集することによって編み出されたものだという説もあるくらい、「項羽本紀」や「高祖本紀」は名調子でまとめ上げられています。けれども文字が読める人間がほんの一握りしかいなかった時代、いくら名文であったとしても、こうした物語が民衆に浸透するには、やはりそれを芸能という形で楽しまれなければなりません。まさに「水滸伝」の講釈師による話芸のような、中世以降に発達した民衆の娯楽がその役割を果したといえましょう。

明代には韓信を主人公にした戯曲「千金記」や羅貫中の「三国志通俗演義」、あるいは清代に漢楚戦争を扱った「西漢演義」といった名作演劇と結びつき、民衆の中に染みこんでいきました。これらは口語に近い形で著された白話文学として、士大夫などの特権階級から民衆まで、鼓詞《こし》・鼓劇《こげき》といった形の娯楽で人気となり、物語のイメージを民衆に共有させていきました。清代に発展した京劇などは、こうした人気のある物語からテーマをとって演じられたのです。

ただこの時代まで、例えば京劇の有名な演目にも、女性に焦点を当てたものは見当たりません。民国期の一九三〇年に、梅蘭芳《めいらんふぁん》の虞美人《ぐびじん》役で一世を風靡《ふうび》した京劇「覇王別姫」も、もとは項羽の活躍に焦点を当てたものでした。しかし観客に見せる工夫をしていく過程で、梅蘭芳《めいらんふぁん》が四面楚歌《しめんそか》の場面で虞美人《ぐびじん》が歌うところが注目され、次第に項羽の活躍よりもそちらに力点が移り、こうした英雄物語の中で悲劇の美女が主役級のスポットライトを浴びるようになっていきました。

けれどもそれは長与の作品から見ても二〇年も後のことです。この作品のように、はじめから女性を主役級に据《す》える試みは、中国の歴史英雄物語の中では、非常に稀だと言わざるを得ないのです。歴史が展開された大陸から海を隔てた日本で、一〇〇年も前にこのように伝奇性に富んだ作品が生み出されていたことは興味深いことです。

言うまでもなく、日本にも大陸と同様、軍記物や説話といった民間伝承や芸能と結びついた文学はありました。将門記《しょうもんき》と唱導僧《しょうどうそう》、平家物語と琵琶法師、あるいは方丈記と物語僧といったメディアを持った物語が、民衆の中に深く根差していったといえるでしょう。さらに考えてみれば、軍記物や白浪物、侠客《きょうかく》ものや怪談、戯作《げさく》、草紙《そうし》といった様々な文学が花開いた江戸時代には、『南総里見八犬伝』などの歴史ファンタジーも生まれているのです。こうした豊かな文化的土壌《どじょう》を持つ日本に、中国の壮大な歴史がテーマにならないはずはなく、長与が参考にした夢梅軒章峯《むばいけんしょうほう》の『通俗漢楚軍談』もまさに元禄年間の江戸で出版されたのです。これは漢楚の戦いを通して、苦難の末に高祖劉邦が勝利していくさまを講談調で唄《うた》いあげていく叙事詩《じょじし》でありました。実際、芝居などでも演じられ、その結果、明治期の大衆社会においても、項羽と劉邦の英雄物語イメージの定着に大きな役割を果たしたといえましょう。

こうした大衆文学の流れは、政治小説や翻訳《ほんやく》小説が主流であった幕末明治の動乱期に一時的に後退し、戯作文学の中で生き続け、新聞や雑誌メディアの勃興《ぼっこう》とともに明治二〇年代に再び盛んになりました。当初は知識階層に向けられた言論誌が主流であった雑誌も、印刷技術の進歩や国民教育の拡大によって読者層も増え、大衆誌や少年雑誌の創刊が相次ぎ、次第に商業的に娯楽の分野に裾野を広げていったのです。この頃、「項羽と劉邦」のような歴史的英雄をテーマにした文章は、特に若年層向けで教育効果も期待された少年小説においてよく取りあげられましたし、歴史を題材にした新聞小説なども発表されました。

二〇世紀になると伝統的価値観からの脱却を目指す、生き生きとした女性の活躍を描く小説も出てきます。ただこの作品が書かれた頃は、谷崎潤一郎の『細雪《ささめゆき》』や夏目漱石の『虞美人草《ぐびじんそう》』などのように、自立的な女性と古風な女性の対比を描いて、社会的には女性の理想像を保守的な姿に求める傾向も見せていました。本作品に登場する女性たちの中にも、そういう姿をみることができると思います。

このように見てくると、この作品が大正デモクラシーの社会的思潮を色濃く反映したものであるのですが、それと同時にそれまでの社会文化的基盤と発展に立脚しているものだ、ということに気づかされるのです。今や日本や中華文化圏にあっては、こうした歴史英雄物語がさまざまな肉付けをされ、歴史ファンタジーとして小説や漫画、アニメの形になって人気を博しています。が、一〇〇年前の日本においてこうした作品が出ていたということは、とても近代文学史の中でも興味深いものであると言えましょう。

最後になりますが、訳出にあたっては、次の点を心掛けました。

まず表現についてです。作者の癖だともいえますが、語順や比喩、修飾語、言い回しなどで難解な部分が多く、これを文脈に合わせてより簡単な表現にしました。また、史実との整合性については、創作であるとする作者の意向を尊重してそのままにしています。加えて作中に出てくる、タバコ、誕生日、就任の挨拶、礼法など、古代中国にはなかったような風習や儀礼、あるいは所作などは、戯曲の演出を尊重する意味で、原作者の意図を崩さないようにしつつ、実際とうまく融合するように工夫して残すようにしました。ただ、多少の地理的な感覚については、現実に近づけるようにしています。例えば、咸陽で巴蜀に向かう鳥を見て、長与は項羽に「北に向かう」と言わせています。「北」は、死や不吉をイメージさせる方角ですが、今回は地理を優先させて修正しています。

図らずも一〇〇年前に世界を襲ったスペイン風邪のごとく、いままた世界が新型ウイルス感染の脅威にさらされ、世界中の人々が思うように街に出られなくなっています。そして毎日書斎にこもる中で、同じ一〇〇年前に書かれた作品に触れることができたのは不思議な縁を感じています。この作品がより多くの人の目にふれて、また元気になった街の劇場で上演される日が、今から楽しみです。

二〇二〇年初秋　深大寺にて

【車輪はつばさ】

南インドのアイラヴァテシュワラ寺院には
建築本体に車輪がついていて
寺院に乗った神さまが
人びとの想いを運ぶと言います

An amazing stone wheel of the Airavatesvara Temple
in the town of Darasuram, near Kumbakonam in the South India

CLASSICS&ACADEMIA

新版 項羽と劉邦

長与 善郎(著)／松本 犛牛(現代語訳)

まちごとパブリッシング
http://machigotopub.com

著者紹介

長与善郎(1888-1961)
小説家、劇作家、評論家。東京府生。東京帝国大学中退。学習院在学中に『白樺』同人となり、作家活動に入る。『白樺』廃刊後は『不士』主宰。戦時中は日本文学報国会理事をつとめ、戦後は芸術院会員。代表作に『青銅の基督』、『竹澤先生といふ人』。自伝『我が心の遍歴』で読売文学賞受賞。

松本犂牛(1964-)
地域研究者。東京都生。東京都立大学大学院博士課程単位取得退学。専門はヒマラヤ周辺地域をめぐる政治変動。中国からネパール、インドに通い、チベットに関わる動きを調査。また近年は、二〇世紀初頭のチベット入域者を生み出した明治期の日本社会も研究。著書に『チベット問題と中国:問題発生の構造とダライ・ラマ「外交」の変遷』(1997)など。

・本書はオンデマンド印刷で作成されています。
・本書の内容に関するご意見、お問い合わせは、発行元の
まちごとパブリッシング info@machigotopub.com までお願いします。

Classics&Academia
新版 項羽と劉邦 -しんばんこううとりゅうほう-

Digital Publishing

2020年10月19日 発行

著 者 長与 善郎
現代語訳 松本 犂牛

発行者 赤松 耕次
発行所 まちごとパブリッシング株式会社
〒181-0013 東京都三鷹市下連雀4-4-36
URL http://www.machigotopub.com/
発売元 株式会社デジタルパブリッシングサービス
〒162-0812 東京都新宿区西五軒町11-13
清水ビル3F

印刷・製本 株式会社デジタルパブリッシングサービス
URL http://www.d-pub.co.jp/

MP234

ISBN978-4-86143-385-6 C0074 Printed in Japan